LES TECHNIQUES NARRATIVES DU CINÉMA

Titre original en langue anglaise :
Cinematic Storytelling

© 2005, Michael Wiese Productions
11288 Ventura Blvd., 621
Studio City, CA 91604
www.mwp.com

ISBN : 978-2-212-11761-5
Traduction et adaptation française Thierry Le Nouvel

Relecture Philippe Rollet

Conception graphique, mise en pages,
couverture Isabelle Chandon

Tous les photogrammes ici reproduits sont sous le copyright
de Michael Wiese Productions.

© 2006, Groupe Eyrolles
© 2020, Éditions Eyrolles
61, boulevard Saint-Germain
75240 Paris Cedex 05
www.editions-eyrolles.com

Jennifer Van Sijll

LES TECHNIQUES NARRATIVES DU CINÉMA

Les 100 plus grands procédés que tout réalisateur doit connaître

Traduction et adaptation française Thierry Le Nouvel

EYROLLES

Remerciements

Je remercie mes étudiants de San Francisco et Berkeley qui, par leur passion et leur enthousiasme, m'ont fait accéder à de nouvelles références et ont ainsi contribué à la rédaction de ce livre.

Ma plus sincère gratitude va à mes professeurs de l'USC. L'idée de ce livre leur revient. J'ai une dette particulière envers l'enseignement de Les Novros, qui s'est attaché à explorer ce qu'il appelle « les dynamiques de l'image ». J'ai appris de ce maître que le sujet d'un film n'est qu'une partie de ce qui est donné au public. Il y a des centaines d'éléments qui interfèrent et qui, utilisés à propos, permettent de faire des allusions aussi subtiles que le texte écrit. J'en suis venue à prendre conscience que l'art de la réalisation fait le lien entre l'idée générale de l'histoire et l'apport des techniques narratives.

Je dois également beaucoup au livre de Margaret Mehring publié en 1990, *Screenplay, A Blend of Film Form and Content*. Son travail est un prolongement de l'enseignement de Les, et il relie plus précisément les techniques narratives au scénario.

Les Techniques narratives du cinéma reconnaissent pleinement l'influence de ces illustres professeurs. Cette sélection de procédés techniques a été influencée par leurs cours et leurs travaux, ainsi que de façon générale, mon approche de l'écriture du scénario et de la réalisation.

Ma dette s'étend également aux écrivains, réalisateurs et directeurs de la photo dont le travail est ici référencé, et qui dans une volonté commune ont fait du cinéma le septième art.

Avant-propos

Il existe de nombreux moyens de faire passer des idées à l'écran ; le dialogue n'est que l'un d'eux. Ce livre rassemble cent techniques non dialoguées, proposant une sorte d'encyclopédie de la narration cinématographique illustrée d'exemples empruntés aux scènes les plus célèbres de l'histoire du cinéma.

Je fais le vœu que ces exemples seront suffisamment représentatifs et pourront aider scénaristes et réalisateurs à acquérir une meilleure compréhension du potentiel narratif du cinéma.

Qu'est-ce que la narration cinématographique ?

Durant les vingt premières années de l'histoire du cinéma, on menait un récit au moyen des seules images : le son synchrone n'existant pas encore, des films comme *Le Vol du grand rapide*, *Metropolis* et *Le Cuirassé Potemkine* exposaient intrigue et personnages sans avoir recours au dialogue. Lorsque l'histoire avait besoin d'explications, on faisait appel, en dernier ressort, à des cartons.

Les seuls moyens de narration étaient la position de la caméra, l'éclairage, la composition, le mouvement et le montage. Les outils cinématographiques, tout comme la caméra, ne servaient pas seulement à filmer une scène : ils avaient également pour tâche de faire avancer l'intrigue et d'exposer le caractère des personnages.

Avec l'arrivée du son, en 1926, les dialogues et la voix off apparurent dans les films. Ces outils propres à la littérature, empruntés aux romans et aux pièces de théâtre, s'imposèrent au cinéma. Certains puristes déplorèrent l'arrivée du son, d'autres y virent un progrès ; quoi qu'il en soit, les deux systèmes de narration étaient désormais à la disposition des scénaristes et des réalisateurs.

Techniques narratives cinématographiques et littéraires

Malgré l'arrivée d'outils narratifs issus de la littérature, des innovations proprement cinématographiques continuèrent de voir le jour, et des films comme *Citizen Kane*, *Boulevard du crépuscule*, *Crossfire*, *Psychose*, *La Leçon de piano* ou *Arizona Junior* sont désormais considérés comme des classiques.

Même si les techniques cinématographiques favorisent l'expression de genres spécifiques, comme le film d'action, le film d'horreur, le film noir, les drames psychologiques et le suspense, il est intéressant de constater que le plus littéraire des réalisateurs, Woody Allen, s'appuie à l'occasion – dans *Act two* et *Manhattan* – sur des techniques purement narratives pour accélérer le cours de l'histoire.

Quelques manuels seulement traitent de l'écriture cinématographique, ce qui est surprenant car la plupart des genres dépendent de la façon de raconter une histoire. La narration cinématographique peut paraître évidente, mais la plupart du temps elle ne l'est pas. Elle joue sur nos émotions, révélant les personnages et l'intrigue sans que nous en ayons immédiatement conscience : c'est ce qui lui permet d'être à la fois si efficace et si attachante. Rappelez-vous les dix premières minutes de *ET* : l'exposition de l'histoire est purement cinématographique, sans un mot de dialogue, et pourtant même un enfant de 8 ans saura dire qui sont les méchants et pourquoi. Une narration purement visuelle agit souvent sur notre subconscient ; elle est donc difficile à saisir.

La narration cinématographique est ce qui fait la différence entre l'information et la dramatisation, l'utilisation des procédés techniques et leur non-prise en compte. Nous espérons que ce livre élargira le champ des procédés narratifs aux scénaristes et réalisateurs, tout en les aidant à exploiter pleinement les ressources spécifiques du cinéma.

Introduction

Le scénariste et la technique narrative cinématographique

Un scénario n'est que l'esquisse d'une histoire racontée au cinéma, c'est-à-dire avec des images et du son. Un bon scénario doit répondre à deux exigences : une bonne histoire et sa traduction en langage cinématographique. Nombre d'excellents ouvrages traitent de la première de ces exigences, passant en revue l'intrigue, la structure et la psychologie des personnages. Ce sont des publications fondamentales pour qui veut écrire des œuvres de fiction : de fait, la plupart de ces livres qui explorent la dramaturgie pourraient s'appliquer au roman, au théâtre, mais non à l'écriture scénaristique. Quant à la seconde exigence, si elle fait défaut, l'auteur aura peut-être une belle histoire, mais personne ne saura jamais si elle a des chances de faire un bon film.

Un film est complètement différent d'un roman ou d'une nouvelle. Il implique l'utilisation d'une série d'éléments techniques que le scénariste est censé exploiter : cette compétence technique est ce qui le distingue des autres types de narrateurs. De nombreux débutants négligent les possibilités créatives du film en se concentrant sur les dialogues au détriment de la narration : ils laissent ainsi de côté les éléments qui concourent à l'écriture d'un bon scénario, c'est-à-dire tout ce qui permet au lecteur de voir et d'entendre ce qui apparaîtra à l'écran.

Dans les premiers temps de l'histoire du cinéma, quelques théoriciens comme Lev Koulechov, Serge Eisenstein et Vsevolod Poudovkine ont étudié le potentiel narratif du médium filmique. Ils se sont rendu compte que le cinéma offre deux possibilités qui font défaut aux autres modes narratifs : l'image photographique et le mouvement. Cela ouvrit aux scénaristes quantité de voies nouvelles. Le montage permit d'enchaîner des plans variés, entraînant rapidement la naissance de plusieurs techniques dramaturgiques de base, comme la scène de poursuite. La caméra pouvait sortir ; on pouvait juxtaposer plans d'intérieur et plans d'extérieur. Le public voyait des images venues du monde entier, dans des tailles inhabituelles, comme le gros plan. Chaque focale conférait des qualités visuelles spécifiques à l'image, et chacune permettait de mettre l'histoire en valeur. Le mouvement de la caméra, facilité par l'arrivée de nouveaux moyens techniques – la grue, et plus tard le steadicam –, ouvrit de nouvelles possibilités d'expression.

Les extraits de scénarii

Poudovkine se rendit compte très vite que le métier de scénariste consistait à écrire des histoires exploitant au mieux le potentiel de ce nouveau médium. En 1926, il conseillait aux scénaristes de maîtriser tous les aspects techniques du film, comme le montage, afin de pouvoir écrire pour le cinéma.

Ce livre va essayer de suivre le chemin tracé par ces illustres prédécesseurs. De *Metropolis* à *Kill Bill*, plus de cinq cents photogrammes et soixante-seize extraits de scénarii illustrent les techniques narratives exposées : de quoi démontrer, nous l'espérons, toute la richesse que cette écriture peut apporter à un scénario.

Ces extraits de scénarii s'adressent principalement aux scénaristes. Ils témoignent de la façon dont les maîtres de l'écriture scénaristique ont su intégrer la narration cinématographique, sans nuire à la lecture ni se substituer au réalisateur. Pour cette raison, cet ouvrage comprend des scénarii dont certains sont dus à des réalisateurs-scénaristes – Quentin Tarantino, Jane Campion ou les frères Coen – et d'autres à des auteurs qui ne sont que scénaristes – comme Alan Ball, Michael Blake et Robert Towne.

Ce livre fait état des scénarii publiés et de ceux qui ne l'ont pas été. Les scénarii publiés s'adressent au grand public et il est difficile de les utiliser. En effet, ce sont soit des scénarii de tournage, c'est-à-dire dont la forme est définitive, soit des scénarii retranscrits directement d'après le film. Il est donc difficile pour l'étudiant de voir exactement où s'arrête le travail du scénariste et où commence celui du réalisateur.

Les scénarii originaux, eux, n'ont pas été réécrits pour les besoins de la publication. Leur forme ouverte ne coïncide jamais complètement avec le film réalisé, et c'est dans ce décalage que résident leur intérêt et leur richesse. Le travail du scénariste et les techniques narratives cinématographiques qu'il utilise pour raconter une histoire apparaissent avec plus d'évidence. Cet état intermédiaire montre également que les scénarii font l'objet de modifications incessantes, dans la phase d'écriture comme dans la phase de production.

Lorsqu'un scénario publié a fait l'objet d'une publication, l'éditeur est signalé dans les sources, page 248, sous le sigle SPD (scénario publié disponible).

Nous encourageons le lecteur à comparer les différents états des scénarii quand cela lui est possible ; les changements qu'il sera en mesure d'y trouver seront pour lui une source d'enrichissement inestimable.

Dans la plupart des cas, nous avons repris la version publiée telle quelle. Parfois, quand nous avons pris un extrait de scénario au milieu de la séquence, nous y avons adjoint quelques lignes explicatives. Pour faciliter la lecture, nous avons également corrigé les erreurs de typographie évidentes.

Le réalisateur et la technique narrative cinématographique

Dans les écoles de cinéma, la dramaturgie et la réalisation sont enseignées séparément. Les scénaristes travaillent dans un bâtiment, et la production – au sens large – dans un autre. Sans que cela soit intentionnel, ce qui devrait être réuni se trouve ainsi séparé : les moyens techniques sont dissociés de leur fin, qui n'est autre que l'histoire.

Un film, c'est d'abord une histoire : c'est pour monter une histoire qu'un film est financé et que les équipes techniques sont engagées. De nombreux films à gros budget utilisent des effets étourdissants qui assurent un grand spectacle, mais rien de plus : ils ont simplement oublié l'histoire, devenue accessoire au regard de la virtuosité technique et du style.

Un cadreur professionnel sait mettre au point un plan spécifique sous un angle technique ; le réalisateur, lui, sait *pourquoi*. Une bonne partie des connaissances que doit posséder un réalisateur relève des données techniques permettant de fabriquer un film, qu'il s'agit d'employer au mieux pour raconter une histoire. Sans cette articulation entre contenu et technique, ces deux composantes du film restent incohérentes, et le plus souvent le résultat n'est qu'un banal exercice technique.

Les techniques narratives du cinéma étudient notamment des œuvres de Fritz Lang, Orson Welles, Alfred Hitchcock, Francis Ford Coppola, Steven Spielberg, Jane Campion, Tim Burton, les frères Coen, Luc Besson, James Cameron et les frères Wachowski. Pour chaque exemple, une technique spécifique est analysée sous l'angle de sa contribution à la narration. Pour ces réalisateurs, comme pour beaucoup d'autres grands réalisateurs de l'histoire du cinéma, un plan n'est pris en considération qu'à la seule condition qu'il ait une influence sur l'intrigue ou dévoile la psychologie des personnages. La première préoccupation du réalisateur est de savoir ce que le public doit ressentir, et quand ; la seconde, de maîtriser les moyens pour y parvenir.

Ce livre a pour ambition de relier les deux disciplines que sont la production de film au sens large et la scénarisation. Nous espérons ainsi marier l'esthétique et la technique en convoquant à titre d'illustrations quelques-unes des scènes les plus célèbres de l'histoire du cinéma.

Sommaire

1re partie

L'ESPACE

L'ESPACE : LE SENS DU MOUVEMENT DANS L'ESPACE À 2 ET 3 DIMENSIONS

Au cinéma, l'espace renvoie aux dynamiques spatiales inhérentes au cadre, c'est-à-dire un plan, qui est tout à la fois une photographie et une partie d'un film. Lorsqu'on y ajoute le mouvement, le sens donné dans l'espace devient une puissante technique narrative.

Plan fixe et plan en mouvement

Un plan fixe, tout comme une peinture, possède des possibilités narratives qui lui sont propres. Un film étant une suite d'images, la composition change continuellement. Cette caractéristique supplémentaire apporte deux éléments narratifs importants : le sens donné dans l'espace et la comparaison. Le sens d'un objet en mouvement dans l'espace peut traduire un antagonisme, un égoïsme ou un conflit, par exemple. Un plan en mouvement peut être utilisé pour représenter une ressemblance ou une différence, le changement ou son contraire, la stase.

Le sens du mouvement

Le sens du mouvement fait référence au déplacement d'un personnage ou d'un objet dans l'espace.

L'axe-X est la ligne qui coupe l'image horizontalement. Les objets peuvent se déplacer de gauche à droite et vice-versa le long de cet axe.

L'axe-Y est la ligne qui coupe l'image verticalement. Les objets peuvent monter ou descendre le long de cet axe, c'est-à-dire de bas en haut ou de haut en bas.

L'axe-Z va du premier plan à l'arrière-plan de l'image et vice-versa. C'est cet axe qui donne au spectateur la sensation de la troisième dimension, ou profondeur de champ.

Procédés techniques

Le sens du mouvement peut exprimer six idées différentes.

1. Axe-X (horizontal)
   (*L'Inconnu du Nord Express*) Conflit en suspens

2. Axe-Y (vertical)
   (*L'Inconnu du Nord Express*) Détour

3. Axes-XY (diagonaux)
   (*Metropolis, La Leçon de piano*) Descente

4. Axe-Z (profondeur de champ)
   (*Citizen Kane*) Zones de temps séparées

5. Axe-Z (niveaux d'action)
   (*Dolores Claiborne*) Changement de dimension

6. Axe-Z (changement de point)
   (*Le Lauréat*) Modification de la perspective

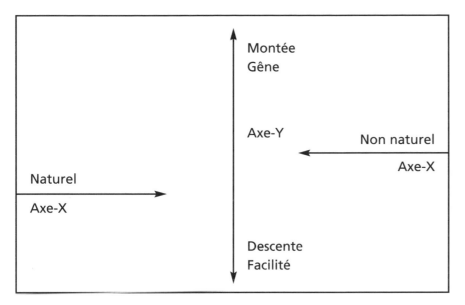

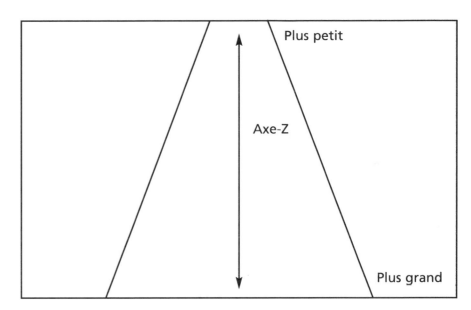

Sens du mouvement dans l'espace à 2 dimensions : mouvement en surface.

Sens du mouvement dans l'espace à 3 dimensions : mouvement en profondeur le long de l'axe-Z.

Axe-X : le regard se déplace naturellement de la gauche vers la droite, sens de la lecture en Occident ; il est moins habitué à bouger dans l'autre sens, le mouvement droite-gauche est moins naturel.

Axe-Y : un objet se déplace facilement vers le bas du cadre parce qu'il suit le sens de la gravité. Un objet se déplaçant vers le haut du cadre contredit la loi de la gravité universelle et provoque une gêne.

Axe-Z : lorsqu'un objet bouge le long de l'axe-Z, de l'avant vers l'arrière ou de l'arrière vers l'avant, il semble se déplacer dans un espace à trois dimensions. En fonction de l'endroit où il se trouve sur la trajectoire et de la focale utilisée, la taille de l'objet à l'image sera modifiée.

Procédé technique 1 : axe-X (horizontal) — conflit en suspens

De gauche à droite

En tant qu'Occidentaux, nous lisons de gauche à droite. Si nous faisions l'expérience de louer et de visionner une cinquantaine de films, il y a fort à parier que le « gentil » apparaîtra toujours par la gauche de l'écran. Lorsque le « gentil » se déplace de gauche à droite, nos yeux le suivent naturellement. Inconsciemment, nous nous formons de lui une idée positive.

De droite à gauche

Inversement, le « méchant » entre généralement par la droite. Parce que nos yeux ne sont pas habitués à bouger de droite à gauche, l'entrée du méchant nous met mal à l'aise. Le scénariste exploite cela en transférant notre gêne intellectuelle sur le personnage. Cette subtilité irritante conditionne le spectateur pour qu'il ressente le personnage comme un être négatif. De la même façon qu'un chat noir est perçu de façon négative, nous attribuons une connotation spécifique au sens du mouvement dans l'espace.

Conflit

Lorsque ces deux mouvements opposés vont l'un vers l'autre, nous anticipons un choc. Cette technique est en particulier utilisée dans *L'Inconnu du Nord Express*.

Exemple cinématographique : *L'Inconnu du Nord Express*

La scène d'ouverture montre un homme sortant d'un taxi devant une gare ferroviaire. Puis nous raccordons à un autre plan où un autre voyageur sort d'un second taxi. Les deux voyageurs sont filmés du sol aux genoux. L'un porte des chaussures bicolores de dandy, l'autre des chaussures lacées classiques.

Le dandy marche de droite à gauche, sens associé au méchant, alors que l'homme aux chaussures classiques marche de gauche à droite, laissant ainsi supposer qu'il est le héros de l'histoire. Puis les plans de leur marche sont alternés. Ils se retrouvent l'un et l'autre sur la même trajectoire, et tout porte à croire qu'ils vont se rencontrer ou même se heurter. Mais, à la dernière minute, chacun emprunte un tourniquet différent : nous sommes décontenancés mais quelques secondes plus tard le film répond à notre attente. Les deux personnages se rencontrent réellement. Sous une table, l'un des deux hommes touche de son pied la chaussure de l'autre. Nous sommes alors troublés. Visuellement, leur rencontre est déjà une forme de collision. Tout nous pousse à croire que ce que nous supposions est vrai, que tout va mal se passer – et même très mal.

Valeur dramaturgique

En utilisant le sens du mouvement dans l'espace afin de suggérer visuellement un choc en suspens, le film expose le conflit et le personnage, et aiguillonne nos craintes – le tout en moins de soixante secondes.

Remarque sur le scénario

En multipliant les plans entrecoupés, Alfred Hitchcock rallongea la scène écrite par Czensi Ormonde et Raymond Chandler.

Autres films

▪ *Kill Bill vol. I* (direction des pas)
▪ *Danse avec les loups* (le héros chevauche dans la direction opposée à celle des soldats)

L'Inconnu du Nord Express (1951)

Scénario : Czenzi Ormonde, Raymond Chandler.

OUVERTURE EN FONDU

EXT. Gare centrale Union, Washington DC - JOUR

PLAN D'ENSEMBLE. DÔME DU CAPITOLE À L'ARRIÈRE-PLAN - ARRIVÉE
DES AUTOMOBILES AU PREMIER PLAN - CONTRE-PLONGÉE.

Mouvements de voitures et taxis qui arrivent et déchargent des
passagers avec des bagages, des porteurs lourdement chargés, etc.

Nous nous ATTACHONS à un taxi qui freine et s'arrête. Le chauffeur
tend à un porteur une valise peu encombrante et quelques
raquettes de tennis dans des étuis. La caméra PANOTE VERTICALEMENT
VERS LE SOL au moment où le passager descend du taxi, afin que
nous ne puissions voir que ses chaussures et le bas de son
pantalon. Il porte des richelieu noires et un costume que l'on
devine classique. Les pieds avancent vers l'entrée de la gare
et sortent de l'écran. C'est alors qu'arrive une limousine avec
chauffeur, et qu'une belle valise est tendue à un porteur ;
le voyageur qui descend par l'arrière porte des chaussures de
sport noir et blanc, lesquelles, comme dans le plan précédent,
sont tout ce que nous voyons de lui. Les chaussures de sport
se mettent à marcher sur les traces des richelieu.

INT. HALL DE GARE

La caméra SUIT les chaussures de sport et les richelieu à
travers le hall jusqu'au couloir d'entrée des voyageurs.
Ambiance normale de passagers qui vont et viennent,
du haut-parleur qui annonce les trains, etc.

EXT. COULOIR DES VOYAGEURS

Les richelieu et les chaussures de sport passent séparément
le couloir ; les chaussures de sport tournent à la porte d'un
compartiment et les richelieu continuent vers une voiture-salon.

FONDU ENCHAÎNÉ AVEC :

INT. VOITURE-SALON (SCÈNE EN COURS)

Les richelieu viennent s'arrêter devant un fauteuil et
le voyageur s'assied. Un moment plus tard, les chaussures de
sport viennent s'arrêter devant un fauteuil voisin.
Les jambes du voyageur portant des chaussures de sport
s'étendent, et l'une des chaussures vient à toucher une
des richelieu.

VOIX D'HOMME (hors champ)

Oh ! Excusez-moi !

1.

2.

3.

4.

5.

6.

Procédé technique 2 : axe-Y (vertical) — détour

Comme nous l'avons vu plus haut, l'axe-Y est la ligne qui dans l'image va de haut en bas en suivant l'axe nord-sud.

Lorsqu'un objet se déplace le long d'un axe à une vitesse régulière, nous supposons automatiquement que la « bonne » destination se trouve quelque part le long de cette trajectoire. Il est rassurant de rester sur les rails. Faire un détour ou s'écarter du chemin prend une connotation négative : les histoires pour enfants sont pleines des mésaventures de héros qui s'éloignent des chemins tout tracés. Dans *L'Inconnu du Nord Express*, Hitchcock traduit visuellement ces connotations. Une fois que les deux héros se sont rencontrés dans le compartiment du train, Hitchcock coupe immédiatement pour passer à un plan extérieur des voies de chemins de fer. Il utilise ici une métaphore, pour induire l'histoire mouvementée qui commence.

Exemple cinématographique : *L'Inconnu du Nord Express*

Après avoir déjà suggéré en images que de la rencontre des deux hommes résultera un choc, Hitchcock change de plan en faisant un insert extérieur : il nous montre les rails que le train est en train d'emprunter. Pour commencer, nous ne voyons que le tracé clair et linéaire des rails. Le train est sur sa « voie ». Il se déplace doucement, à vitesse régulière et sur une ligne dégagée. Maintenant, nous arrivons à un aiguillage. Les lignes ne sont plus qu'un fouillis de voies diverses, puis le train change brusquement de direction en allant vers la droite du cadre, du côté qu'occupait précédemment le « méchant ». Les images suggèrent que le héros a abandonné un chemin tout tracé pour aller dans le monde du « méchant ».

Valeur dramaturgique

En utilisant l'axe-Y pour poser le chemin établi, celui de la sécurité et de la normalité, Hitchcock pouvait également tracer son contraire – le détour dangereux. La métaphore est aussi un résumé succinct de l'intrigue : qu'arrive-t-il à un homme ordinaire qui se trouve brusquement détourné de son chemin ?

Remarque sur le scénario

Il n'est pas fait mention du plan d'insert des rails dans le scénario écrit par C. Ormonde et R. Chandler. Au contraire, les deux hommes continuent de parler de banalités dans la voiture-salon, pendant plusieurs pages. Dans le film, le plan d'insert permet une respiration visuelle et matérialise symboliquement l'histoire qui va se dérouler.

Procédé technique 3 : axes-XY (diagonaux) — descente

En plus des axes X, Y et Z, une image possède quatre axes diagonaux.

Axes diagonaux descendants

Le mouvement des axes diagonaux descendants suit naturellement le sens de la gravité. La descente semble facile, elle est matériellement inéluctable : une fois que le mouvement est mis en branle, il est difficile de l'arrêter. Le mouvement qui va de gauche à droite s'accepte plus facilement parce qu'il épouse le sens de la lecture.

Axes diagonaux ascendants

Les axes diagonaux ascendants vont à l'encontre de la gravité. Il est plus facile de tomber, puis de remonter. L'axe ascendant qui va de droite à gauche est le sens le plus difficile de tous : il va à la fois contre le sens de la lecture et contre celui de la gravité.

Exemples cinématographiques : *Metropolis, La Leçon de piano*

Les deux plans ci-contre exploitent le caractère inéluctable de la « descente ».
Metropolis : on voit des travailleurs qui, comme des robots, entament leur descente quotidienne sous la terre.
La Leçon de piano : ayant réalisé qu'Ada l'a trahi, Stewart, son mari, s'élance une hache à la main pour la punir.

Valeur dramaturgique

Comme la descente suit le sens de la gravité, nous savons que rien, à moins d'une intervention majeure, ne pourra arrêter le cours des événements.
Metropolis et *La Leçon de piano* sont de véritables manuels des techniques narratives et méritent d'être vus plusieurs fois.

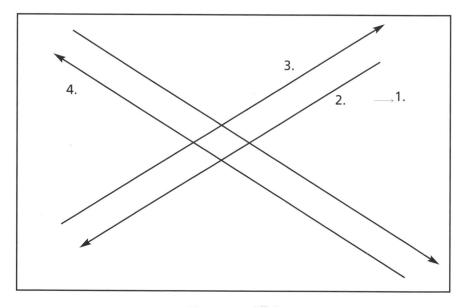

Mouvements difficiles

1. *Plus facile*

2. *Moins facile*

3. *Difficile*

4. *Plus difficile*

Metropolis

La Leçon de piano *(1993)*

Scénario : Jane Campion. 4ᵉ version, 1991.

Sc. 117 EXT. LA MAISON DE STEWART - JOUR

Le ciel est sombre et la pluie tombe lourdement alors que
STEWART marche à grandes enjambées vers la cabane, balançant une
hache dans sa main. FLORA est loin derrière lui, ses ailes
d'ange trempées.

La Leçon de piano

9

Procédé technique 4 : axe-Z (profondeur de champ) — zones de temps séparées

L'axe-Z est la ligne qui va du premier plan à l'arrière-plan. Cet axe donne l'illusion de la profondeur. Techniquement, la profondeur de champ, ou distance focale, est la portion d'espace qui est nette le long de l'axe-Z. Plus la focale est courte, plus la distance focale est grande. D'une façon générale, on parvient à une grande profondeur de champ en combinant deux éléments : un grand angulaire et un éclairage permettant une plus petite ouverture du diaphragme.

Cette combinaison provoque une aberration visuelle fascinante : la distance que parcourt un objet le long de l'axe-Z semble raccourcie. Lorsque deux personnages, par exemple, se déplacent du premier plan à l'arrière-plan, leur taille rapetisse plus rapidement qu'on ne le prévoyait. Quand ils reviennent au premier plan, ils semblent se précipiter vers la caméra, avec plus de présence et plus vite que l'œil ne s'y attendait. L'inverse fonctionne également avec un téléobjectif.

Ces effets tiennent à deux paramètres :

a) le rendu du raccourci inhérent au grand angle ;

b) la profondeur de champ accrue qui permet de garder nets, simultanément, les objets présents au premier plan et l'arrière-plan.

Exemple cinématographique : *Citizen Kane*

Bien qu'elle ne figure pas dans le scénario original, cette scène qui réunit Kane, Thatcher et Bernstein est l'une des plus ingénieuses de l'histoire du cinéma. En voici le déroulement.

Kane vient d'apprendre par Thatcher, son tuteur, que le krach boursier de 1929 l'a ruiné. Kane, qui est adulte, est redevenu un petit garçon : il est à nouveau dépendant de son tuteur.

En apprenant qu'il pourrait être mis sous tutelle, Kane avance vers le premier plan de l'image ; sa silhouette est énorme, massive. Il descend ensuite l'axe-Z vers le mur du fond de la grande pièce. Chaque pas le fait rapetisser, chaque pas le ramène à sa taille initiale. Lorsqu'il se tient à côté de Thatcher, apparaissant une fois encore en « taille réelle », Thatcher laisse supposer que les problèmes économiques ne sont que temporaires. Sans un mot de dialogue de Kane, Orson Welles a exprimé le trouble intérieur de son personnage.

Valeur dramaturgique

La profondeur de champ peut :

a) modifier la taille des personnages à mesure qu'ils se déplacent à l'intérieur du plan ;

b) faire dépendre la taille d'un personnage des autres personnages présents dans le plan.

1.

2.

3.

4.

5.

6.

7.

8.

Procédé technique 5 : axe-Z (niveaux d'action) — changement de dimension

Les peintres divisent le cadre en trois plans : le *premier plan*, le *plan intermédiaire* et l'*arrière-plan*. Un réalisateur peut utiliser ces différents niveaux pour mettre en scène divers éléments de l'histoire.

Le théâtre fait grand usage du fond de scène, du milieu de scène et du devant de scène, comme autant de séparations temporelles ou géographiques. Un personnage peut se tenir en fond de scène, au présent, et observer son passé qui se joue sur le devant de la scène. Une scène en flash-back du film *Dolores Claiborne* est une utilisation magistrale de ce principe.

Exemple cinématographique : *Dolores Claiborne*

Dans cette scène, Dolores Claiborne se rend compte que sa fille, qui a près de 20 ans, ne se rappelle absolument pas avoir été violée par son père. Dolores se tient au premier plan ; sa fille est assise à une table dans le plan intermédiaire. Dolores réagit en regardant derrière sa fille, vers l'arrière-plan où est située la porte d'entrée. Sur son regard, un flash-back commence, mais à l'arrière-plan seulement. Le mari de Dolores, qui est alors plus jeune de vingt ans, entre. Il se déplace à l'arrière-plan dans une zone temporelle qui date d'il y a vingt ans, alors que Dolores et sa fille sont situées dans une autre zone, au premier plan et au plan intermédiaire. Comme la fille de Dolores continue de discuter avec sa mère au présent, Dolores regarde son mari mort marcher derrière sa fille dans une autre chambre, à l'intérieur d'un seul flash-back.

Valeur dramaturgique

En exploitant les trois plans de l'action, le passé et le présent peuvent se dérouler simultanément. La mise en scène peut aider à préciser les intentions du scénario. Dans cette scène, par exemple, Dolores fait face au passé alors que sa fille lui tourne le dos.

Autre film

• *Citizen Kane* (la scène de l'overdose de Susan, la scène de la boule de neige)

Dolores Claiborne (1995)

Scénario : Tony Gilroy. 3ᵉ version, 3 novembre 1994.

D'après un roman de Stephen King.

Dolores débarrasse silencieusement la table, quand son regard se
dirige brusquement derrière SELENA, vers la porte et —

Point de vue subjectif de DOLORES - FLASH-BACK

   La porte d'entrée va s'ouvrir. La lumière d'un coucher de
soleil d'été se répand sur le paysage et ne pénètre que par la
porte. Le reste de la maison — toujours au présent — va rester
dans l'obscurité.

   JOE ST. GEORGE va entrer dans la maison. Il est âgé de
35 ans, de constitution débile, les cheveux en bataille.
Il revient du travail, il est sale et il a soif. Il se tient
dans l'embrasure de la porte et délace ses chaussures.

(Remarque : Selena n'a aucune idée de ce que sa mère voit
derrière elle. Dolores va continuer de parler à Selena comme
si cela ne s'était pas passé, en essayant d'ignorer cette
« présence » au fur et à mesure que se déroule la scène.)

                          SELENA
          Écoute, il faut faire face, maman —
          Nous nous connaissons à peine.
          Nous n'avons presque pas parlé pendant des années.
          Et c'est autant de ta faute que de la mienne.

Joe est en chaussettes, retirant violemment la boue de
ses bottes dans l'embrasure de la porte.

Selena continue de discuter alors que Dolores regarde fixement
l'image de Joe dans le passé à l'arrière-plan — la scène
se poursuit brièvement dans un —

FLASH-BACK COMPLET

LA MAISON. Brusquement emplie de lumière. Le décor est
différent. Nous sommes en été 1972. SELENA écoute son père
sortir précipitamment de la cuisine. Elle a 9 ans. C'est
une enfant magnifique.

Procédé technique 6 : axe-Z (changement de point) — modification de la perspective

Pour réaliser un changement de point, il est nécessaire d'avoir peu de profondeur de champ. Cela signifie que seul un espace limité se trouvant sur l'axe-Z peut être net. Lorsque le cadreur « fait le point », il déplace le point de netteté d'un plan focal à un autre. Ainsi l'attention du spectateur, qui se portait sur des objets situés dans un plan donné, se déplace dans un autre plan, de façon sélective.

Voici comment cet effet a été utilisé dans une scène charnière du *Lauréat*, à la fin de la seconde partie.

Exemple cinématographique : *Le Lauréat*

Ben, qui a une vingtaine d'années, rentre chez lui à la fin de l'année universitaire. Il a alors une aventure avec une amie de ses parents, Mme Robinson. Mais Ben tombe bientôt amoureux d'Elaine, la fille de Mme Robinson.

À la fin de la seconde partie, Ben décide de se confesser à Elaine. Il entre par effraction dans la maison de ses parents et la trouve en haut, dans sa chambre. Avant qu'il ait pu tout lui raconter résonnent les pas de Mme Robinson. Elaine fait face à Ben, dos à la porte de la chambre. Au moment où Ben s'apprête à révéler l'identité de la « femme plus âgée », la mère d'Elaine apparaît à la porte.

Invisible pour Elaine, qui fait toujours face à Ben, Mme Robinson se tient dans l'embrasure de la porte. Son image, floue, ressemble à celle d'un revenant. Au moment où Elaine se retourne, le point est fait sur Mme Robinson, et c'est sa fille qui devient floue. Tous les traits du visage décomposé de Mme Robinson sont maintenant visibles. Au bout de quelques secondes, Mme Robinson

disparaît de l'embrasure de la porte. Quand Elaine se retourne vers Ben, son visage reste momentanément brouillé, extériorisant ainsi sa confusion. Au moment de l'identification, son visage redevient net.

Dans cette scène, le changement de point permet deux choses :

a) de révéler l'identité de la « femme plus âgée » (Mme Robinson répond physiquement à la question restée sans réponse d'Elaine en devenant brusquement nette) ;

b) d'extérioriser la confusion d'Elaine en attendant le moment de l'identification où son visage va redevenir net.

Valeur dramaturgique

Le changement de point permet de guider l'attention du spectateur d'un objet à un autre. Il est souvent utilisé pour marquer l'effet de surprise lors d'une révélation soudaine et, en général, survient à un moment clef de l'intrigue. Comme il souligne la révélation de façon patente, il doit être utilisé avec modération.

Autres films

- *Le Dernier Tango à Paris*
- *Léon* (la scène de l'agonie de Léon)

Remarque historique

D. W. Griffith expérimenta le changement de point dans le plan d'ouverture de *A Corner of Wheat* (1909), ainsi que dans *Musketeers of Pig Valley* (1912) et *The House of Darkness* (1913).

Le Lauréat *(1967)*

Scénario : Cadler Willingham et Buck Henry, 1967.

D'après le roman de Charles Webb.

INT. CHAMBRE D'ELAINE - JOUR

Ben entraîne Elaine derrière la porte ouverte. Ils se tiennent
dans l'angle formé par la porte et le mur, comme s'ils se
cachaient de quelqu'un. Les pas de Mme ROBINSON, qui monte
l'escalier, se font entendre.

                    BEN
          Elaine— j'ai quelque chose à te dire.

Il la maintient dans l'angle du mur ;

                    ELAINE
          Qu'est-ce que c'est ?

                    BEN
          Cette femme…

                    ELAINE
          Quoi ?

                    BEN
          Cette femme. La femme plus âgée.

                    ELAINE
          Tu veux dire celle qui…

                    BEN
          La femme mariée… Ce n'était pas simplement
          n'importe quelle femme

                    ELAINE
          Qu'es-tu en train de me dire ?

Les pas s'arrêtent.

GROS PLAN D'ELAINE

Derrière, dans l'angle. Le visage de Mme Robinson apparaît dans
l'entrebâillement de la porte, au-dessus de l'épaule d'Elaine.
Les yeux d'Elaine passent du visage de Ben à l'entrebâillement
où l'on peut voir le regard ébahi de sa mère.

                    ELAINE
          Benjamin, veux-tu bien me dire ce qui se passe,
                    s'il te plaît ?
Elle se retourne vers Ben, puis de nouveau le visage de sa
mère. Mme Robinson la regarde par l'entrebâillement de la porte.
Elaine détourne le regard.

                    ELAINE
          Oh, non !

2e partie

L'IMAGE

L'IMAGE : LA COMPOSITION

« *Par " image ", j'entends très généralement tout ce que peut ajouter à la chose représentée sa représentation sur l'écran. Cet apport est complexe, mais on peut le ramener essentiellement à deux groupes de faits : la plastique de l'image et les ressources du montage (lequel n'est pas autre chose que l'organisation des images dans le temps).* »

Ces propos d'André Bazin (voir bibliographie, page 253) illustrent parfaitement ce qui distingue une simple photographie de l'image cinématographique.

Il précise encore : « *Dans la plastique, il faut comprendre le style du décor et du maquillage, dans une certaine mesure même du jeu, auxquels s'ajoutent naturellement l'éclairage et enfin le cadrage qui achève la composition.* »

Dès les débuts de l'histoire du cinéma, des théoriciens comme Lev Koulechov ont étudié la façon dont l'œil réagit aux stimuli. De tous les éléments qu'ils ont répertoriés, les plus importants sont la luminosité, la couleur, la valeur, la forme, le mouvement, la vitesse et la direction. Utilisés à bon escient, ces éléments peuvent influencer le spectateur et susciter chez lui une émotion. Comme toujours, tout dépend du contenu, de la juxtaposition des plans, ainsil que de leur interaction avec d'autres éléments.

Procédés techniques

7. Mise en scène du regard
   du spectateur
   Citizen Kane   (les journalistes)

8. Déséquilibre
   Disco Pigs   (la maternité)

9. Équilibre
   Disco Pigs   (les adolescents)

10. Sens de l'orientation
    Apocalypse Now   (le visage à l'envers)
    Bound   (l'argent)

11. Valeur de plan
    Metropolis   (images en contraste)

Procédé technique 7 : mise en scène du regard du spectateur

Dans l'exemple qui suit, tiré de *Citizen Kane*, la lumière et l'obscurité agissent comme des jalons visuels : ce qui est important est mis en lumière, ce qui l'est moins est laissé dans l'ombre.

Exemple cinématographique : *Citizen Kane*

Dans *Citizen Kane*, la scène des journalistes expose la question centrale du film. Nous y voyons un grand nombre de journalistes en train de regarder les dernières images d'un film d'actualités retraçant la vie de Kane.

Nous nous attendons à ce qu'à la fin du film, l'écran vide devienne sans intérêt pour les journalistes qui maintenant prennent le relais de l'histoire. Mais c'est le contraire qui se passe : les journalistes sont laissés dans l'obscurité, et l'écran vierge et blanc reste dans la lumière.

Cette inversion signale que c'est l' « énigme » qui est importante, et non tel journaliste qui cherche à l'élucider. Ne distinguant pas les visages, le spectateur est également poussé inconsciemment à apporter une plus grande attention au dialogue, dont la répétition souligne l'importance. L'état des connaissances des journalistes est symbolisé par l'écran blanc. Le public sait qu'il se trouve au début de l'enquête, et qu'à la fin du film l'écran donnera la réponse.

Valeur dramaturgique

L'ombre et la lumière sont utilisées comme des jalons. Elles permettent au spectateur de savoir sur quoi se concentrer et diriger son regard.

Remarque sur le scénario

Observez la façon dont l'auteur utilise la lumière comme un outil dramatique à part entière. Le film a été réalisé tel qu'il a été écrit, à l'exception de quelques modifications mineures.

Citizen Kane (1941)

Scénario : Herman J. Mankiewicz et Orson Welles.

INT. SALLE DE PROJECTION - JOUR
Une salle relativement grande, avec un long faisceau de lumière
dirigé sur l'écran. Il fait sombre.
L'image de Kane âgé reste sur l'écran alors que la caméra se
retire doucement, en travelling arrière, pour découvrir la salle
de projection.
Cependant, l'action commence seulement après que les quelques
lignes de dialogue qui suivent ont été dites. Les ombres des
hommes qui sont en train de parler apparaissent au moment où
ils se lèvent de leur fauteuil — en noir contre le visage de
Kane qui est à l'écran.

Note. Ce sont les rédacteurs en chef du journal News Digest et
des magazines Rawlston. Toutes les personnes importantes de ces
journaux sont présentes dans la salle de projection, jusqu'à
Rawlston lui-même qui va dire quelques mots.
Durant toute cette séquence, on ne voit aucun visage
distinctement. Quelques parties des corps se distinguent sous
une lampe de table, une silhouette passe devant l'écran, les
visages et les corps se découpent en silhouette sur le faisceau
lumineux oblique qui vient de la salle de projection.
Un troisième homme est au téléphone. Nous distinguons une partie
de sa tête ainsi que le téléphone.

> TROISIÈME HOMME (au téléphone)
> Attendez. Je vais vous dire si vous devez la
> repasser.

> VOIX DE THOMPSON
> Eh bien ?

Un court silence.

> UNE VOIX D'HOMME
> C'est difficile à faire passer dans des actualités
> filmées. Soixante-dix ans de la vie d'un homme...

Murmure d'approbation du grand patron. Rawlston marche vers la
caméra et sort du plan. Les autres se lèvent. Durant toute
cette séquence, la caméra fait de son mieux pour suivre
l'action et attraper des visages, mais n'y réussit pas. En
effet, tout a été réglé très méticuleusement pour exclure de
cette scène tout élément d'identification personnelle ; la
personnalité est entièrement exprimée par les voix, les ombres,
les silhouettes et l'image imposante et brillante de Kane sur
l'écran.

Procédé technique 8 : image déséquilibrée

Une image équilibrée comporte intentionnellement une composition symétrique. On utilise la texture, la couleur, la valeur, la forme, la complexité et le sens implicite de l'image pour parvenir à cet effet. Dans le film d'auteur *Disco Pigs*, écrit par Enda Walsh d'après sa pièce éponyme, équilibre et déséquilibre sont ingénieusement exploités. L'extrait de ce scénario est tiré de la deuxième scène de ce film magnifique réalisé en Irlande par Kirsten Sheridan.

Exemple cinématographique : *Disco Pigs*

Le film commence avec l'image *in utero* d'un bébé qui se bat pour trouver son chemin à travers la matrice. La voix off du bébé fait clairement comprendre que cela ne lui plaît pas. Nous passons alors au plan d'un petit lit de maternité, où le nouveau-né dort maintenant calmement.

La scène suivante débute avec un plan en plongée de ce qui de prime abord semble une image parfaitement équilibrée : nous voyons deux lits placés côte à côte. Mais le fait qu'un seul des deux soit occupé détruit l'équilibre, ce qui manifeste le dilemme de la nouvelle-née – la solitude éprouvée par l'absence de compagnon de jeu.

Puis elle entend un braillement. Un bébé garçon est maintenant couché dans le petit lit qui était vide. Les deux nouveau-nés échangent des regards, puis nous passons à un plan en plongée identique au premier. Cette fois, les deux lits sont occupés. Le déséquilibre du premier plan a été comblé. Nous passons alors aux bébés se cherchant l'un l'autre dans un plan également symétrique. Le problème et sa solution s'expriment ensemble grâce à l'utilisation intelligente de l'image.

Valeur dramaturgique

L'équilibre et le déséquilibre exposent le conflit initial voulu par le scénariste et le réalisateur dans le scénario. Plus tard, la relation symbiotique qui apparaissait d'abord comme une solution fera naître le conflit central du film.

Autre film

▪ *Hedwig and the Angry Inch*

Disco Pigs (2001)

Scénario : Enda Walsh d'après sa pièce de théâtre.

INT. SALLE D'HÔPITAL - JOUR
Le bébé RUNT dans un petit lit, en train de regarder la vive lumière blanche venant du plafond.
Nous entendons les sons étouffés de personnes qui discutent, vont et viennent.

> RUNT V/O
> Je n'ai que quelques mois et je commence déjà à réfléchir.
> Je fixe ce ciel blanc juste au-dessus de moi, et j'ai besoin de quelque chose de complètement différent.

Les pleurs d'un autre bébé se font entendre.
Le plan subjectif de RUNT se met à le rechercher.

> RUNT V/O
> Et cela, dès que je l'entends. Parce que, tout comme moi, il saute dans le tourbillon gris du bonheur. Au moment même où nous attrapons nos doudous. Comme par magie.

Nous voyons une peinture murale de Toytown.

> RUNT V/O
> Et, à travers le mur Simplet et aux Grandes oreilles, je recherche son sanglot. Un sanglot si seul qu'il me fait peur et me fait pleurer aussi.

Nous voyons en plongée les deux petits lits avec les bébés RUNT et PIG qui pleurent et hurlent.
Ils se tournent lentement l'un vers l'autre.

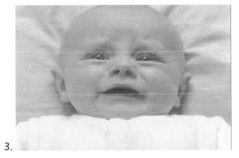

> RUNT V/O
> Et tout ce que nous pouvons voir disparaît lorsque nous entendons les pleurs de l'un et de l'autre. Et cela quand ça commence par magie. Ça commence quand bébé-Pig et bébé-Runt se regardent fixement à travers leurs yeux de bébé, qu'ils voient. Et quand les pleurs et les hurlements s'arrêtent. Et quand je le sens près de moi. Nous nous rejoignons, lui et moi. Pig me regarde directement et je me vois quand je me retourne pour regarder dans ses yeux de bébé. Je calme mes pleurs, alors. À ce moment-là, nous devenons un. Et nous n'avons besoin de personne d'autre. De personne.

Les deux bébés se sont trouvés dans l'espace qui est entre les deux petits lits.

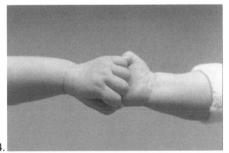

> RUNT V/O
> Le Roi et la Reine, tranquilles et calmes dans une couleur qui n'est pas le gris mais quelque chose de bon et de nouveau.

Comme par magie, ils ont tendu les bras l'un vers l'autre et finalement se sont rejoints.
Les bébés rient.

> RUNT V/O
> Une couleur qui leur est propre…

Procédé technique 9 : image équilibrée

Voir procédé technique n° 8.

Exemple cinématographique : *Disco Pigs*

Nous sommes à la troisième scène du film. Nous retrouvons les nouveau-nés, mais ils sont adolescents à présent. Le plan d'ouverture imite la symétrie de la scène antérieure. Une fois encore, l'image est parfaitement équilibrée. Le garçon occupe le côté gauche du plan, et la fille le côté droit. Ils se tiennent toujours les mains. La prégnance des signaux visuels nous assure que les adolescents sont les nouveau-nés du début du film.

La composition visuelle donne à entendre que la relation symbiotique qui a commencé à la maternité a perduré quinze années.

Valeur dramaturgique

Le fait de codifier les personnages dès le début du film permet d'en rappeler les symboles par la suite. Dans ce cas précis, les adolescents sont immédiatement identifiés, sans aucun commentaire, malgré le temps qui a passé.

Autre film

▪ *Le Lauréat* (plan à deux – voir procédé technique n° 60, page 152 – du couple, dernière scène, à l'arrière de l'autobus)

Disco Pigs (2001)

Scénario : Enda Walsh d'après sa pièce de théâtre.

```
EXT. LES MAISONS DE PIG ET RUNT - NUIT
PIG et RUNT s'arrêtent devant leurs maisons mitoyennes. Ce sont
de petites maisons grises avec de petits jardins sur le devant.
Ils continuent de se regarder. La façade extérieure de la
maison de RUNT est légèrement plus dégradée que celle de PIG.
Ils se tournent l'un vers l'autre.

                        PIG
            Alors bonsoir, ma douce.

                    RUNT
            Salut, vieux.

                        PIG
            Ne te fais pas bouffer par les punaises, hein ?

                    RUNT
            C'est moi qui vais les bouffer, ces salopes !

PIG éclate de rire.

                        PIG
            À demain, alors ?

                    RUNT (elle sourit)
            Bien sûr !

                        PIG
            Bonsoir, ma jolie.

                    RUNT
            Bonne nuit.

Ils ouvrent ensemble le portail de leur maison et marchent vers
la porte d'entrée. Ils s'arrêtent et ensemble poussent
bruyamment leur porte.
Les deux portes s'ouvrent en même temps. On entend les cris de
parents mécontents.
```

1.

2.

3.

Procédé technique 10 : sens de l'orientation

En tant que spectateurs, nous nous attendons à ce qu'une image se regarde facilement. Nous savons que la réalité peut être enjolivée par le cinéma, mais fondamentalement nous ne doutons pas que le monde filmé reste identique à celui que nous connaissons. Lorsque les lois élémentaires qui régissent l'ordre du monde – et l'attention du spectateur – bouleversent un plan, elles deviennent évidentes. Pourtant, tout plan déstructuré doit être justifié – sinon il sera rejeté par le spectateur.

Un personnage filmé à l'envers, par exemple, bouleverse à l'évidence les lois naturelles : nous sommes si peu habitués à cette étrange position que nous allons pencher notre propre tête pour essayer de la corriger ! Nous sommes tout aussi désorientés quand nous voyons une oreille ou un œil en très gros plan. Cependant, lorsqu'elle est utilisée à propos, cette désorientation peut être très efficace.

Dans *Apocalypse Now* et *Barton Fink*, les héros ont la tête en bas. Mais ces plans sont magnifiquement intégrés dans le film et au service de l'histoire.

Exemples cinématographiques : *Apocalypse Now, Barton Fink*

Apocalypse Now : au début du film, la jungle du Vietnam est en feu. Le visage du capitaine Willard, un jeune soldat américain, apparaît sous une succession de fondus enchaînés. Le spectateur est prévenu que l'histoire qui va lui être racontée n'est pas ordinaire et que Willard, lui aussi, est un personnage hors du commun.

Barton Fink : tout comme le capitaine Willard, Barton est un homme qui n'est pas chez lui. Contraint par son agent de tirer profit de son succès en tant qu'auteur dramatique à Broadway, Barton quitte à contrecœur son cocon artistique pour Hollywood. Alors que le héros est couché sur le lit de sa chambre d'hôtel à Los Angeles, la caméra commence à tourner. Le lit qui part à la dérive et le plan inversé sont des métaphores de son malaise intérieur. Plus loin dans le film, Barton trouvera dans le même lit le cadavre d'une femme : le premier plan sur le lit sera alors perçu comme une prémonition.

Valeur dramaturgique

Un plan déstructuré désoriente intentionnellement le spectateur. S'il est fait avec soin, il peut exprimer les pensées intimes d'un personnage ou même, dans le cas de Barton Fink, être prémonitoire. La désorientation est saisissante parce que nous nous attendons à voir le monde selon une perspective qui nous est familière ; toute altération de cette perspective souligne une scène de façon efficace.

Autres films

- *The Lodger*, 1927 (contre-plongée d'un locataire marchant dans la pièce du dessus, filmé à travers un plafond de verre)
- *Léon* (plan subjectif où Léon tombe après qu'on lui a tiré dessus, scène d'agonie)
- *Les Dents de la mer*
- *Bound*
- *Eraserhead*
- *Metropolis*

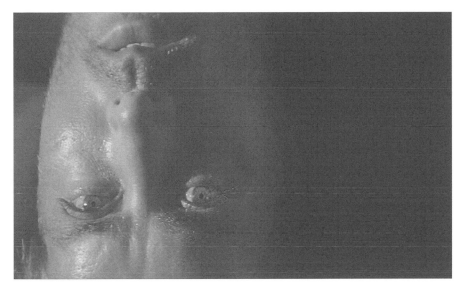

Apocalypse Now

Barton Fink

Procédé technique 11 : valeur de plan symbolique

La force et la faiblesse d'un personnage peuvent s'exprimer par la valeur d'un plan, c'est-à-dire par la dimension que prennent à l'écran un objet, un décor ou un être humain.

Exemple cinématographique : *Metropolis*

Dans *Metropolis* (1927), Fritz Lang dépeint avec intelligence deux mondes opposés.

Plan 1

Le monde extérieur, avec ses bâtiments modernes démesurés, représente le meilleur du progrès technique de l'humanité. Les chefs-d'œuvre que sont ces mammouths architecturaux dominent l'image et semblent s'étirer vers le ciel. Dans cette mégapole, seule une élite vit à l'air libre.

Plan 2

Lang met en opposition le plan des gratte-ciel massifs et celui des hommes-fourmis qui les ont construits. Ces travailleurs déshumanisés traînent les pieds en marchant en colonnes, et sont obligés de vivre sous terre, dans des « four-milières ». Les travailleurs sont écrasés par les immeubles qu'ils ont construits et par les machines qui les ont réduits en esclavage.

Valeur dramaturgique

Lang utilise la démesure pour opposer le « monde du dessus » et le « monde souterrain ».

Autres films

- *Citizen Kane* (scène de la cheminée : Kane contre Susan)
- *ET* (l'introduction : les camions contre ET)
- *Les Dents de la mer* (tout au long du film : les requins contre l'homme)

1.

2.

3e partie

LA FORME DANS L'IMAGE

LA FORME DANS L'IMAGE ET LA NARRATION

En fonction de leur utilisation et du contexte, les formes des objets ou de la composition globale peuvent suggérer certaines idées et diverses émotions.

Nous nous accordons à reconnaître trois formes fondamentales :
- le cercle ;
- le carré ;
- le triangle.

De nombreuses autres formes en dérivent : le demi-cercle, le rectangle, le losange, l'octogone, etc., de la même façon qu'il existe un nombre illimité de formes organiques.

Associations traditionnelles

Les théoriciens de la vision associent souvent les formes à des idées et des émotions particulières. En voici une liste, tirée du livre de Bruce Block, *The Visual Story*.

Formes rondes

« Caractère indirect, passif, romantique, en rapport avec la nature, doux, pur, souple et sans danger. »

Formes carrées

« Caractère direct, industriel, ordonné, linéaire, contre nature, adulte et rigide. »

Formes triangulaires

« Caractère agressif et dynamique. »

Quoi qu'il en soit, Block nous prévient que ces associations ne sont pas des lois. En fonction de l'intrigue, de nouvelles associations peuvent toujours être faites. La forme n'est qu'un élément dans l'image parmi d'autres.

La forme a été utilisée de manière significative dans *Witness*, où le triangle exprime la dynamique d'un triangle amoureux.

Narration

Un auteur ou un réalisateur peut faire appel à une forme pour créer un décor dynamique. Il peut s'agir d'une association ponctuelle ou rémanente. Des formes peuvent également être associées à des personnages pour créer un conflit à l'image ou, inversement, suggérer une harmonie. Une des utilisations les plus intéressantes de la forme se trouve dans un film de Francis Ford Coppola, *La Conversation secrète* : deux formes sont associées au héros, l'une exprimant son personnage extérieur, l'autre son être intérieur.

Une fois que les personnages sont « codifiés », le public peut suivre leur évolution tout au long du film.

Procédés filmiques

12. Forme circulaire
La Conversation secrète   (le complot - le décor - les bandes)

13. Forme linéaire
Fargo   (les traces de pneus aux croisements)

14. Forme triangulaire
Witness   (le triangle amoureux)

15. Forme rectangulaire
La Prisonnière du désert   (le rectangle comme porte)

16. Forme organique contre forme géométrique
Witness

Procédé technique 12 : forme circulaire

À chaque fois qu'un symbole, comme celui de la lumière, est utilisé, il devient plus efficace quand il est associé à son contraire. De la même façon, l'effet de la forme circulaire est encore plus fort si une forme linéaire, qui lui est opposée, est présente. La forme circulaire évoque des images de confusion, de répétition et de temps qui passe, mais d'autres connotations plus diffuses apparaissent quand elle est utilisée parallèlement à des formes qui lui sont opposées.

Exemple cinématographique : *La Conversation secrète*

Selon l'auteur-réalisateur Francis Ford Coppola, *La Conversation secrète* est née de sa fascination pour les formes répétitives, qu'il symbolise par la forme circulaire. Ce qui se répète, c'est la faiblesse morale du héros devant la tromperie et la traîtrise.

Harry, le héros (Gene Hackman), est un expert en surveillance. Sa personnalité extérieure est symbolisée par une forme linéaire. Il est rationnel, compétent, désintéressé et réservé. Coppola lui donne des vêtements stricts et un environnement matériel où tout n'est qu'ordre et lignes étirées.

Son métier implique l'utilisation des bobines circulaires du magnétophone, mais aussi longtemps qu'il reste détaché de leur contenu, il est compétent et équilibré.

Néanmoins, Harry entre d'une façon tout à fait singulière dans la vie affective des gens qu'il enregistre, et commence à perdre pied. Brusquement, le déséquilibre entre ses compétences extérieures et sa réalité intérieure apparaît. Il ne peut pas faire face à la réalité affective.

L'intrigue elle-même est d'une belle facture circulaire. À la fin du film, l'expert en surveillance devient le sujet surveillé. Dans les derniers plans, Harry détruit complètement son appartement. Le thème musical, « What goes around, comes around », répète la circularité de l'intrigue ainsi que les métaphores matérielles.

L'extrait du scénario qui suit se situe au moment où le héros tente d'inverser le cours des événements. Il entre dans un immeuble dont la façade extérieure est linéaire, mais dont l'agencement intérieur est circulaire – tout comme Harry. Une fois à l'intérieur, il est molesté dans la cage d'escalier par des fiers-à-bras de la sécurité. Le sol est carrelé de motifs circulaires. Une fois jeté hors de l'immeuble, il est de nouveau à l'abri du danger. Il marche le long de la façade linéaire, jusqu'à pratiquement se fondre dans les lignes grises des murs.

Valeur dramaturgique

Les personnages peuvent être associés à des symboles graphiques contradictoires ; une fois qu'ils sont posés, l'histoire se raconte à travers des formes symboliques. Le public peut alors décoder les images et se faire sa propre interprétation, le recours aux dialogues devenant superflu.

Autre film

▪ *Witness*

La Conversation secrète (1974)

Scénario : Francis Ford Coppola. Dernière version, 22 novembre 1972.

Remarque : *tout au long du film, Harry marche en ligne droite. Le couple qu'il enregistre, Marc et Anne, se déplace en faisant des cercles. Tout comme les autres personnages qui sont dans le « complot », ils sont identifiés par le cercle. Voici quelques extraits qui montrent la façon dont les formes circulaires et linéaires ont été mises en opposition.*

24. EXT. QUARTIER DES ENTREPÔTS. JOUR

Harry marche parallèlement à des rails de chemin de fer dans le quartier industriel de la ville.

161. EXT. UNION SQUARE. JOUR

Marc et Anne dans leur sempiternelle balade autour d'Union Square.

174. PLONGÉE

Le carrefour, habituellement plein de monde et de voitures, est maintenant complètement désert, et le vide est accentué par les signalisations blanches sur la route et les arrêts d'autobus. Harry Caul traverse le carrefour et se dirige vers le trottoir à motifs qui borde l'immeuble de bureaux.

178. INT. LE HALL. JOUR

La cloche retentit. Harry entre dans le hall principal. Il n'y a personne au bureau de la réception.

Il s'avance vers la réception, puis monte l'escalier en spirale.

179. INT. LE LABYRINTHE. JOUR

Harry entre ; le labyrinthe, qui la première fois était occupé, est maintenant complètement vide.

201. EXT. LE QUARTIER FINANCIER. JOUR

Morne et désolé.

Harry marche seul le long de la place.

202. PLAN EN MOUVEMENT D'HARRY

Pendant qu'il marche, il semble être dans l'embarras, furieux du rôle qu'on lui a fait jouer. Il marche aveuglément en ligne droite.

1.

2.

3.

4.

Procédé technique 13 : forme linéaire

Les lignes peuvent exprimer toutes sortes de concepts. Quand elles apparaissent, elles permettent de faire passer des idées de façon différente. Dans l'exemple ci-dessous, Jerry Lundegard, le héros de *Fargo*, se trouve devant un choix, à un « croisement ». Les frères Coen expriment cette idée au moyen de « lignes croisées » imprimées dans la neige par des roues de voitures. En voici un peu plus sur cette séquence.

Exemple cinématographique : *Fargo*

Le héros de *Fargo* est un vendeur de voitures empoté, qui est endetté jusqu'au cou. Il décide de faire kidnapper sa riche épouse, afin que son beau-père paye une rançon. Jerry se comportera comme un homme sans histoire, empochera la rançon puis paiera ses dettes. À la dernière minute, il a la possibilité de gagner de l'argent d'une autre façon, mais son beau-père fait échouer le marché. Jerry se trouve maintenant devant un choix : il peut avouer sa responsabilité dans le kidnapping, ou décider d'aller jusqu'au bout.

Les frères Coen expriment merveilleusement ce moment du « croisement » – du choix – de Jerry. La scène s'ouvre par le plan en plongée d'un parking couvert de neige. Dans l'image, une large « croix » tracée par des pneus de voitures dans la neige. Jerry s'approche du « croisement ». Au lieu de retourner au bureau de son beau-père pour avouer ce qu'il a fait, il dépasse les lignes et rentre dans sa voiture. Une fois assis, il réalise qu'il ne va pas revenir sur son projet. Il sort précipitamment et casse la glace qui recouvre le pare-brise à l'aide d'un racloir. Il sait qu'il est faible, et s'en veut.

Remarque sur le scénario

Dans cette version du scénario, il n'est fait mention du plan en plongée que pour la première partie de la scène. La suite du scénario s'attache à décrire Jerry cassant la glace de son pare-brise. Dans la version filmée, la première partie de la scène est rallongée et offre la métaphore du croisement qui va donner de l'importance aux actions à venir.

Valeur dramaturgique

Utilisés à bon escient, les symboles peuvent exprimer les idées et les choix des personnages, tout comme ils peuvent nous aider à prendre toute la mesure de leur décision. Si, par exemple, des symboles de la réussite sont mis en avant, le spectateur est en mesure de voir si les personnages sont près ou loin d'y parvenir.

Autres films

- *Witness*
- *Metropolis*

Fargo (1996)

Scénario : Joel et Ethan Coen. Version du 2 novembre 1994.

PARKING
Nous sommes en plongée sur le parking de l'immeuble de bureaux.

Jerry surgit emmitouflé dans une parka, les bras raides collés
le long du corps, son haleine formant de la buée devant sa
bouche. Il se dirige vers sa voiture, ouvre la portière avant,
prend un racloir de plastique rouge et commence à gratter
méthodiquement la fine couche de glace qui s'est formée sur son
pare-brise.

Scrap-scrap, scrap. Le bruit du racloir résonne dans l'air glacé.

Jerry devient frénétique, frappant le racloir contre le
pare-brise et la capote de sa voiture.

Cet accès de fureur passe. Jerry reste haletant, ne regardant
rien de particulier.

Scrap-scrap-scrap. Il recommence à retirer la glace de
son pare-brise.

1.

2.

3.

Procédé technique 14 : forme triangulaire

De nombreux moyens permettent de composer une forme triangulaire : l'éclairage, le mobilier, différents éléments présents dans le décor, la position des personnages ou le mouvement. Le triangle peut être un symbole de l'harmonie familiale, comme la relation entre le père, la mère et l'enfant. Il peut aussi évoquer l'accord d'une triade religieuse, comme celle du Père, du Fils et du Saint-Esprit. On peut cependant y associer son contraire, le désaccord, avec l'apparition d'une tierce personne qui vient rompre l'harmonie d'une amitié ou d'une relation amoureuse. Le triangle peut également évoquer ce qui est logique et mathématique : comme toujours, la signification d'un symbole dépend de son contexte.

Dans le film *Witness*, cette figure illustre de façon classique une relation amoureuse impliquant trois personnes. Elle est exprimée matériellement par la position des personnages dans l'espace ainsi que par les formes extérieures.

Exemple cinématographique : *Witness*

Après avoir été blessé en essayant de protéger un enfant, John Book, un policier de Philadelphie, se retrouve dans une communauté Amish.

Au cours de sa convalescence, Book tombe amoureux de Rachel, une jeune veuve Amish. Mais, avant l'arrivée de Book, Rachel a été demandée en mariage par Hochstetler (son nom a changé dans le film), un membre de la communauté. Le conflit de Rachel est visuellement représenté par la position triangulaire des personnages dans l'espace. Rachel et son prétendant Amish sont assis sur un banc placé près de l'entrée. Book les regarde depuis la pelouse. Ils sont entourés d'autres figures triangulaires : le nichoir, l'espace qui se trouve derrière Book, le toit pointu de la grange, le chemin qui dessine trois triangles, le haut des poutres du porche et les branches des arbres.

Remarque sur le scénario

Notez la façon dont les scénaristes matérialisent le triangle par la position des personnages. Dans le scénario, les deux scènes se suivent alors que dans le film elles ont été fondues en une seule. Le décor extérieur a été légèrement modifié mais la composition triangulaire a été conservée.

Valeur dramaturgique

Les figures triangulaires symbolisent la relation amoureuse que vivent les trois personnages. Quand de nouvelles formes arrivent, nous savons qu'un changement s'est produit.

Witness (1985)

Scénario : William Kelley, Earl Wallace. Version révisée, 23 avril 1984.

Exposition de la scène : Hochstetler, le prétendant Amish de Rachel, se rend dans la maison de Rachel. Il dépasse Book, lui frappe sur l'épaule et se dirige vers la maison.

1.

```
93M ANGLE

Comme Rachel se dépêche de sortir de la maison pour
l'accueillir, elle est saisie par le regard de Book et,
confuse, s'arrête un court instant.

Cela n'échappe pas à Hochstetler.

93M ENCLOS AUX COCHONS

Après avoir rassemblé les morceaux du nichoir, Book se dirige
vers les communs, passant par l'enclos aux cochons.
Il jette un coup d'œil sur la maison :

93N PLAN SUBJECTIF DE BOOK - LE PORCHE ARRIÈRE

Où Rachel et Hochstetler sont assis dans une balancelle,
partageant un pichet de limonade.

93O RETOUR SUR BOOK

Pensif… Il regarde l'enclos aux cochons où une énorme truie
couine furieusement contre ses petits afin de les éloigner de
l'auge où elle veut se rendre.

                              BOOK
              Les cochons.
```

2.

3.

Procédé technique 15 : forme rectangulaire

Exemple cinématographique : *La Prisonnière du désert*

La Prisonnière du désert (1956), écrit par Frank Nugent et réalisé par John Ford, demeure l'un des plus grands westerns de l'histoire. Dès le plan d'ouverture, le conflit est palpable. Nous y apprenons que l'oncle Ethan, interprété par John Wayne, est un célibataire endurci incapable de se fixer où que ce soit. Vers la fin du film, nous verrons que, malgré les apparences, il n'a pas oublié les valeurs familiales. Afin d'être suffisamment fort pour défendre ces valeurs dans le rude Texas de 1868, il se doit de rester un étranger.

Voici comment s'ouvre le plan qui exprime intelligemment l'idée du film : la caméra est placée à l'intérieur d'une maison de pionnier. La porte d'entrée s'ouvre. Elle forme un vaste rectangle lumineux qui donne sur le ciel bleu de l'horizon sauvage. La silhouette d'une femme apparaît dans l'encadrement de la porte, puis nous passons au plan de ce qu'elle voit. Un homme, qui sera bientôt identifié comme l'oncle Ethan, chevauche dans la plaine. Il se fond dans les formes et les couleurs du paysage.

La porte rectangulaire est utilisée tout au long du film comme un passage entre les deux mondes. Les plans intérieurs rectangulaires et plats symbolisent le foyer familial ; les formes naturelles et les plans très larges, le moi sauvage de l'homme.

Le dernier plan du film répète le premier. Nous comprenons alors que c'est précisément parce que l'oncle Ethan respecte les valeurs familiales qu'il ne peut pas rester à l'intérieur de la maison. Il se tient sur le seuil et regarde l'heureuse scène de famille. Malgré son émotion, il finit par se retourner et sortir de la maison.

Valeur dramaturgique

Ouverture sur un autre monde, la forme rectangulaire symbolise le conflit du personnage et extériorise ses motivations cachées.

Autres films

- *De beaux lendemains* (voir procédé technique n° 95)
- *La Leçon de piano* (le piano rectangulaire comme cercueil, dans la dernière partie)

La Prisonnière du désert (1956)

Scénario : Frank Nugent. Version finale révisée.

D'après un roman d'Alan Le May.

```
EXT. LA MAISON DES EDWARDS. PLAN MOYEN - AARON - FIN D'APRÈS-MIDI

La maison rustique est en pisé, solide, avec un gazon et
un toit de bois, de larges fenêtres. Une petite galerie ou un
porche s'allonge sur le devant. AARON EDWARDS passe par la porte,
attiré par les aboiements du chien… Il voit alors un cavalier
s'approcher puis apparaître distinctement.
```

1.

2.

3.

4.

Procédé technique 16 : forme organique contre forme géométrique

D'une manière générale, les formes organiques sont associées à la nature, les formes géométriques à l'homme. Ces symboles, qui peuvent être utilisés de diverses façons, ont dans *Witness* pour fonction de distinguer les Amish du monde urbain, et dans *Metropolis* le monde des opprimés de celui des oppresseurs.

Exemple cinématographique : *Witness*

John Book, le héros, représente la vie urbaine américaine. Les Amish, avec qui il est amené à vivre, ont rejeté toute technologie et tout lien avec la ville. Ils vivent simplement des travaux de la terre.

Le monde de Book est symbolisé par les formes géométriques : lignes, carrés et triangles. Les Amish, quant à eux, sont associés aux formes circulaires et aux mouvements naturels, comme le doux balancement du blé dans le vent.

Exemple cinématographique : *Metropolis* (non illustré)

Le film de Fritz Lang nous transporte dans un futur de science-fiction, où tout l'environnement techniciste n'est que figures linéaires et géométriques.

Hors du centre urbain se trouve un paradis aux lignes organiques harmonieuses, réservé à l'élite. Sa beauté extérieure cache une réalité monstrueuse : ceux qui l'ont construit ont l'interdiction formelle d'y pénétrer.

Valeur dramaturgique

Dans *Witness*, les formes contrastées soulignent l'idée centrale du film, avec deux mondes en opposition qui peuvent difficilement se mêler.

Dans *Metropolis*, le monde aux formes organiques est un jardin d'Eden réservé à quelques privilégiés. Parce qu'il a été construit au prix d'une cruauté à la fois économique et morale, son image de paradis est dénaturée, et les formes organiques prennent une connotation négative.

Regardez la façon dont ces principes ont été utilisés dans les photogrammes ci-contre.

1.

2.

3.

4.

4e partie

LE MONTAGE

LE MONTAGE : LES CINQ TECHNIQUES DE MONTAGE DE POUDOVKINE

Un peu de théorie

L'opération stylistique et matérielle qui consiste à lier les divers éléments visuels et sonores recueillis au cours du tournage s'appelle le montage. Dans les années vingt, lorsque les grands théoriciens russes ont mis en lumière les diverses possibilités qu'offrait le médium cinématographique, ils se sont particulièrement attachés à étudier le potentiel narratif du montage, c'est-à-dire à en analyser les aspects esthétiques et sémiologiques.

Les cinq principes du montage

Vsevolod Poudovkine a fixé cinq techniques de montage qui restent la référence du montage moderne : le contraste, le parallélisme, le symbolisme, la simultanéité, le leitmotiv.

Selon Poudovkine, un montage bien construit peut influencer le spectateur. Cependant, il pensait que c'était à la fois au scénariste et au monteur de s'occuper du montage, le but de leur métier étant de « guider psychologiquement » le spectateur.

Ces cinq principes montrent la façon dont les divers choix de montage permettent de provoquer des émotions spécifiques. Ces principes, qui sont toujours de mise, sont exposés dans *Film Theory and Criticism*, de L. Braudy et C. Marshall (voir bibliographie page 153). Poudovkine publia pour la première fois ces principes en 1926 dans sa Russie natale. Voici comment il les exposait, il y a presque cent ans. La numérotation a été ajoutée par souci de clarté.

Sur le montage

– V. Poudovkine

« *[1.]* **Le contraste** – *Supposons que nous décidions de raconter la vie d'un homme qui meurt de faim : l'histoire sera encore plus frappante si on y associe la gloutonnerie stupide d'un nanti.*

Sur une relation de contraste aussi simple est basée la méthode de montage correspondante. À l'écran, l'impact de ce contraste est déjà accru, car il est possible, non seulement de rattacher la séquence de l'homme qui meurt de faim à celle de la gloutonnerie, mais aussi de relier les scènes, et même les plans séparés des scènes à une autre séquence, et donc de forcer le spectateur à comparer sans cesse les deux actions, l'une soutenant l'autre. Le montage par contraste est une méthode très efficace, mais c'est aussi l'une des plus communes et des plus standardisées : il convient donc de l'utiliser avec modération.

[2.] **Le parallélisme** – *Cette méthode ressemble à celle du contraste mais offre des possibilités bien plus grandes. Un exemple expliquera plus clairement en quoi elle consiste. Dans un scénario non encore produit, une scène se déroule ainsi : un travailleur, un des leaders d'une grève, est condamné à mort. Son exécution est fixée pour cinq heures du matin. La séquence est montée ainsi : un patron d'usine, employeur du condamné à mort, quitte un restaurant en état d'ébriété. Il regarde l'heure à sa montre : 4 h 00. On voit l'accusé, prêt à être conduit au-dehors. On voit à nouveau le patron ; il sonne à une porte pour demander l'heure : 4 h 30. Le fourgon de police roule dans la rue sous haute protection. La bonne qui ouvre la porte – la femme du condamné – est prise d'un subit accès de folie. Le propriétaire de l'usine éméché ronfle dans un lit, une de ses mains pend avec le bracelet-montre bien visible : les aiguilles de la montre glissent doucement vers 5 h 00. Le travailleur est pendu.*

Dans cet exemple, deux incidents non liés thématiquement se développent en parallèle au moyen de la montre, qui signale que l'heure de l'exécution se rapproche. La montre au poignet de la brute sans cœur l'identifie comme le grand responsable de cette fin tragique, et de cette manière le rend toujours présent dans la conscience des spectateurs. Le parallélisme est incontestablement une méthode intéressante, qui ouvre de belles perspectives.

[3.] **Le symbolisme** – *Dans les scènes finales du film* La Grève, *l'exécution des travailleurs est ponctuée de plans du massacre d'un taureau à l'abattoir. Voici ce que le scénariste désire signifier : les travailleurs ont été exécutés avec le sang-froid d'un boucher qui abat un taureau d'un coup de hache. Cette méthode est particulièrement intéressante parce que, grâce au montage, et sans l'aide d'intertitres, elle introduit une notion nouvelle dans la conscience du spectateur.*

[4.] **La simultanéité** – *La dernière partie des films américains est construite sur le développement rapide et simultané de deux actions, dans lesquelles le résultat de l'une dépend de l'aboutissement de l'autre. La dernière partie du film* Intolérance *est construite de cette manière. Cette méthode vise à créer chez le spectateur une tension maximale au moyen d'une question qui s'impose sans cesse, comme, dans ce cas précis : « Arriveront-ils à temps ? Arriveront-ils à temps ? »*

C'est une méthode qui joue purement sur l'émotion. Elle est aujourd'hui utilisée jusqu'à plus soif, mais on ne peut nier que de toutes les méthodes imaginées jusqu'ici pour construire la fin d'un film, elle reste la plus efficace.

[5.] **Le leitmotiv (répétition de l'idée)** – *Il est souvent intéressant, pour le scénariste en particulier, de mettre en valeur l'idée de base d'un scénario. La méthode du leitmotiv permet d'y parvenir, et sa structure peut être facilement démontrée par l'exemple. Dans un scénario anti-religieux qui visait à démontrer la cruauté et l'hypocrisie de l'Église au service du régime tsariste, le même plan était répété plusieurs fois : une cloche d'église sonnait lentement avec un titre en surimpression : « Le tintement des cloches envoie au monde un message de patience et d'amour. » Ces images apparaissaient chaque fois que le scénariste désirait mettre en exergue la stupidité de la patience, ou l'hypocrisie de l'amour ainsi prêché. »*

Le montage : techniques additionnelles

Dès la fin des années vingt, les principes de base du montage étaient posés. Poudovkine, avec Sergei Eisenstein, D. W. Griffith et Fritz Lang, avaient exploré le cinéma avec un tel succès que les innovations qui allaient suivre ne devaient être que de simples variations sur ces techniques de base.

De la même façon, pour ces pionniers, la modernité du montage n'était qu'un supplément, et nombre de leurs inventions puisaient à la source romanesque du XIXᵉ siècle. Eisenstein, par exemple, attribua un grand nombre des premières inventions de Griffith, comme le montage en progression, le montage alterné, le gros plan et même le fondu enchaîné, aux romans de Charles Dickens. Ces pionniers de la théorie du cinéma ont créé des équivalents filmiques de ces formes littéraires éprouvées, en même temps qu'ils exploraient le nouveau médium pour trouver de nouvelles techniques.

Procédés filmiques

Voici une sélection représentative des principales techniques de montage utilisées par de grands réalisateurs.

17. Séquence par épisodes *Citizen Kane*		21. Montage alterné *Cabaret*	
18. Séquence par épisodes sans dialogues *Adaptation*		22. Split screen	*Kill Bill vol. I*
19. Assemblage *Psychose*		23. Fondu enchaîné bref	*Citizen Kane*
20. Plan séquence *Psychose*		24. Fondu enchaîné long	*Barton Fink*
		25. Smash cut	*American Beauty*

Procédé technique 17 : séquence par épisodes

La séquence par épisodes est constituée d'une série de plans brefs, séparés par des ellipses et couchés sur de la musique. Cette construction narrative spécifique permet d'exprimer le temps qui passe, la vieillesse, ou encore une évolution des sentiments.

Exemple cinématographique : *Citizen Kane*

Il y a dans *Citizen Kane* un grand nombre de belles séquences par épisodes. Elles sont presque toutes construites de façon identique, et montrent la désagrégation de la relation de Kane avec sa première puis sa seconde femme.

Chaque séquence par épisodes se déroule dans un endroit unique, et montre le couple engagé dans une activité solitaire. Dans la première, le couple est assis autour d'une table, au petit déjeuner. La seconde prend place dans un immense salon. Les deux séquences nous ramènent au même lieu et à la même activité. Il n'y a aucun plan de coupe pour introduire des lieux ou des personnages différents. Le spectateur est ainsi témoin de l'évolution de la relation du couple alors que le lieu et l'activité restent inchangés. Cette désagrégation en miroir traduit l'incapacité de Kane à maintenir une relation de couple : comme si les femmes changeaient, alors que la structure de la désagrégation restait constante.

Voici un bref extrait de la seconde séquence par épisodes présentant Susan, la seconde femme de Kane.

La séquence par épisodes de Susan

Au cours de cette scène, Kane et Susan se disputent pendant que Susan fait un puzzle. Quand nous arrivons à la fin de la séquence, des années plus tard, le couple se dispute toujours et Susan fait encore un puzzle. En deux minutes, nous avons une idée de la durée de leur mésentente et de son intensification au cours des années.

Le scénario met en scène l'assemblage des pièces du puzzle pour évoquer le temps qui passe. Le choix de ce jeu nous rappelle de façon subtile que Kane est une énigme autant pour Susan que pour les journalistes. Comme si Kane lui-même était une suite de puzzles sans fin ; dès que l'un d'eux est terminé, un autre se présente.

Valeur dramaturgique

Cette séquence par épisodes traduit le temps qui passe et l'évolution du personnage. L'emploi répétitif de cette construction narrative permet au spectateur de faire des comparaisons et d'en tirer de nouvelles conclusions.

Citizen Kane (1941)

Scénario : Herman J. Mankiewicz et Orson Welles.

```
INT. LA GRANDE SALLE DE XANADU - 1925
```

Gros plan sur un gigantesque puzzle. Une main assemble la dernière pièce. La caméra se retire pour découvrir le puzzle sur le sol.

Susan est assise par terre, devant le puzzle. Kane est dans un fauteuil. Derrière eux se dresse une massive cheminée de style Renaissance. C'est la nuit, et un candélabre baroque éclaire la scène.
(Nous passons à la fin de la séquence)

```
                    Susan
          Si je promets d'être une gentille fille !
          De ne pas boire — et d'amuser tous les gouverneurs
          et sénateurs
          avec dignité —
          (elle prononce ce mot d'un air entendu)
          Charlie -
```

Il n'y a toujours pas de réponse.

```
FERMETURE EN FONDU :

OUVERTURE EN FONDU :
```

Un autre puzzle. Les mains de Susan mettent en place une pièce manquante.

```
FONDU ENCHAÎNÉ :
```

Un autre puzzle. Les mains de Susan mettent en place une pièce manquante

```
FONDU ENCHAÎNÉ :

INT. XANADU - LE SALON - JOUR - 1928
```

Un autre puzzle.

La caméra se retire pour montrer Kane et Susan dans la même position que les fois précédentes, mais ils sont plus âgés.

Procédé technique 18 : séquence par épisodes sans dialogues

Les films dont l'intrigue repose sur des personnages négligent souvent les techniques narratives qui font l'économie des dialogues. Les scénarii apparaissent le plus souvent comme des « pièces radiophoniques » ou comme ce qu'Alfred Hitchcock appelle des « photographies sonores ». Pourtant, de nombreux films qui font la part belle aux personnages, comme *La Leçon de piano, American Beauty* ou *Le Temps des gitans,* les incluent de façon merveilleuse. Ces films, tout comme *Adaptation*, de Charlie Kaufman, utilisent la palette complète de ces procédés techniques.

Exemple cinématographique : *Adaptation*

Adaptation s'ouvre sur un écran noir avec un monologue en voix off, puis on passe à une scène qui introduit le personnage, et l'on revient à la voix off qui pose les questions : « Pourquoi suis-je ici ? Comment suis-je arrivé là ? » La question est associée à une séquence par épisodes radicale, qui donne le ton du film et pose le problème. Cette séquence nous fait passer par les grands stades de l'évolution du monde et de l'humanité pour arriver à aujourd'hui, à Charlie Kaufman en train de dîner dans un restaurant de Los Angeles.

Valeur dramaturgique

La séquence par épisodes offre une illustration spectaculaire de la question posée par la voix off. Elle donne toute sa portée au continuum philosophique et historique du héros, ainsi qu'au présupposé extravagant à partir duquel il doit comprendre le sens de sa vie. Une image claire du problème qui pèse sur les épaules du héros nous est donnée immédiatement.

Remarque sur le scénario

Dans la version du scénario proposée ci-contre la séquence par épisodes apparaît dans la seconde partie, alors qu'elle est insérée bien plus tard dans le film réalisé.

Autres films

- *Apocalypse Now* (la séquence thématique de l'ouverture)
- *Falling down* (la séquence thématique de l'ouverture)

Adaptation (2002) - page 41, scène 62

Scénario : Charlie Kaufman et Donald Kaufman.

Version du 21 novembre 2000.

Adapté du livre de Susan Orlean, *The Orchard Thief.*

SÉQUENCE PAR ÉPISODES

Cette séquence montre l'histoire entière de
l'humanité, depuis une poignée de chasseurs
primitifs jusqu'à notre société technologique
surpeuplée. Nous voyons l'histoire de
l'architecture, des guerres, des religions et du
commerce. Nous voyons le meurtre et la procréation.
Nous voyons l'homme dans son environnement : aux
champs, mangeant de la viande, admirant un paysage.
Nous voyons la vieillesse et la naissance. Nous
voyons tout cela encore et toujours à une vitesse
étourdissante. Nous voyons Laroche enfant, seul avec
ses tortues. Nous voyons Orlean enfant, seule avec
son journal. Nous voyons Alice en train de servir à
manger et de rire avec les clients. Nous finissons
sur le visage triste de Kaufman en train de rentrer
dans sa voiture et de quitter le salon de l'Orchidée
de Santa Barbara. La séquence entière dure deux
minutes.

1.

2.

3.

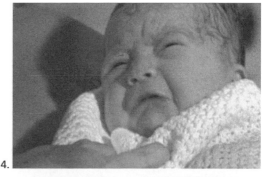
4.

5.

Procédé technique 19 : montage par assemblage

Le montage par assemblage est un terme utilisé par Alfred Hitchcock pour désigner la forme de montage de la scène de la douche dans *Psychose*. Dans ce cas précis, l'assemblage signifie la construction d'une séquence par la réunion de plans différents pris dans un lieu unique. La séquence finale, qui apparaît comme une sorte de mosaïque de plans, produit une forte impression.

Exemple cinématographique : *Psychose*

Le montage, comme l'a dit Hitchcock en 1969 lors d'un entretien pour la télévision canadienne, est aussi « une sorte de rupture ».

Dans *Psychose*, Hitchcock différencie intentionnellement les deux crimes du film par ses choix opposés de montage.

Scène de la douche

Dans la scène de la douche, le but d'Hitchcock est de nous frapper de stupeur en nous montrant le déroulement d'un meurtre extrêmement brutal. Au moyen d'une succession rapide de plans (soixante-dix-huit en quarante-cinq secondes), il nous fait passer derrière le rideau de douche, à l'intérieur de la cabine, en nous donnant le point de vue subjectif du meurtrier. Un peu comme si Hitchcock exagérait les coupes du montage, pour accentuer le parallélisme avec les coups portés à la victime.

Scène de la cage d'escalier

Le second meurtre est tourné et monté de façon complètement différente. Le but recherché, cette fois, n'est pas de nous montrer la brutalité du meurtrier (nous en avons déjà été témoins) mais de nous faire vivre l'attente angoissée du meurtre qui se prépare. C'est une scène pleine d'incertitudes, où notre attention est portée sur les deux minutes qui précèdent le meurtre. Dans cette séquence, les plans sont longs. Une fois que le spectateur et la victime prennent conscience que le meurtre va avoir lieu, la scène est terminée. Quoique le déroulement de ces deux meurtres soit identique, le montage produit deux sentiments complètement différents.

Valeur dramaturgique

Par la manière d'ordonner les plans, le montage influence les sentiments du spectateur et oriente ses émotions.

Remarque sur le scénario

L'extrait du scénario proposé montre comment on peut faire un montage extrêmement stylisé sans rompre le suspense.

Autre film

- *Metropolis* (la séquence du rêve)

Psychose (1960) - scène de la douche

Scénario : Joseph Stephano. Version révisée, 1er décembre 1959.

D'après le roman de Robert Bloch.

INT. MARY SOUS LA DOUCHE

Au-dessus de la barre sur laquelle est suspendu le rideau de douche, on peut voir la porte de la salle de bains ; elle n'est pas complètement refermée. Pendant un moment, nous regardons Mary se laver et se savonner.
Ses yeux gardent toujours un petit air inquiet, mais de façon générale elle semble quelque peu soulagée.
Nous voyons maintenant la porte de la salle de bains s'ouvrir doucement.
Le bruit de la douche couvre tous les sons. La porte se referme alors doucement et soigneusement.
Nous voyons l'ombre d'une femme tomber sur le rideau de douche. Le dos de Mary est tourné vers le rideau. Le blanc de la salle de bains est presque aveuglant.
Nous voyons soudain une main se lever, empoigner le rideau de douche, l'arracher de côté.

PLAN CUT DE :

TRÈS GROS PLAN DE MARY

Qui se retourne en réponse à la sensation et au BRUIT du rideau arraché. L'horreur se lit sur son visage. Un gémissement sourd et terrible commence à sortir de sa gorge. Une main vient dans le plan. Elle brandit un énorme couteau à pain. L'acier de la lame pénètre dans l'écran jusqu'à le remplir presque totalement d'une couleur argent.

LA LACÉRATION

Le sentiment d'un couteau qui taillade, comme s'il tranchait l'écran même, et déchirait le film. Sur tout cela, de brefs cris étranglés. Et puis le silence. Et puis le bruit sourd et effrayant du corps de Mary qui s'effondre dans le bac à douche.

CONTRECHAMP

La blancheur vide, la buée de l'eau de la douche, la main qui retire le rideau de douche. On entrevoit le vacillement du meurtrier. Une femme, le visage contorsionné par la folie, les cheveux qui lui donnent un air sauvage, comme si elle portait une perruque d'épouvantail. Ensuite nous ne voyons plus que le rideau, fermé sur le bac à douche, et nous entendons l'écoulement précipité de l'eau. Au-dessus de la barre de douche, nous voyons la porte de la salle de bains de nouveau ouverte et, après un moment, nous ENTENDONS le BRUIT de la porte d'entrée qui claque.

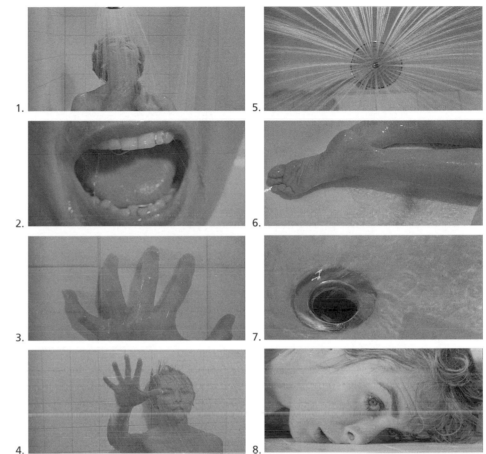

1.
2.
3.
4.
5.
6.
7.
8.

PLAN CUT DU :

CORPS MORT

Gisant, à moitié dans le bac à douche, à moitié dehors, la tête renversée, touchant le sol, les cheveux mouillés, un œil grand ouvert comme s'il était crevé, un bras flasque et mouillé étendu sur le carrelage. Nous voyons de petits filets de sang glisser le long de la paroi du bac, courir épais et sombres le long de la porcelaine. La CAMÉRA S'ÉLOIGNE du corps, avance doucement dans la salle de bains, dépasse les toilettes et sort dans la chambre. Alors que la CAMÉRA se rapproche du lit, nous voyons le journal plié comme Mary l'avait posé sur la table de nuit.

Procédé technique 20 : plan séquence

Comme son nom l'indique, le plan séquence est une séquence composée d'un seul plan. Sans montage et filmé en temps réel, le plan séquence peut enrichir sa valeur expressive en jouant avec les décors, les optiques et les mouvements de caméra.

Exemple cinématographique : *Psychose*

Juste après la scène de la douche, la surmultiplication des plans fait place à un plan séquence. Norman sort précipitamment de la maison de sa mère pour se rendre dans le bungalow où Marion a été assassinée. Une fois Norman à l'intérieur, la caméra l'accompagne comme il fait les cent pas en se demandant ce qu'il va faire du corps. Quand Norman entre dans un autre bungalow pour prendre les affaires du gardien, la caméra continue de filmer derrière la porte jusqu'à ce qu'il revienne avec un balai et un seau. Quand Norman entre à nouveau dans le bungalow, la caméra le filme en temps réel en train de tirer le corps et de l'envelopper dans une bâche de plastique. La scène continue avec Norman qui nettoie le bac à douche puis qui s'en va finalement en voiture avec le corps. Véritable point d'orgue, ce plan séquence permet à Hitchcock de conclure l'enchaînement diabolique des péripéties.

Valeur dramaturgique

Alors que l'assemblage des plans de la scène de la douche était fait pour marquer le chaos et désorienter le spectateur, le plan séquence qui couvre les conséquences du meurtre semble nous ramener au cours normal des choses. Les scènes longues et fluides prennent doucement pied dans la réalité. Cependant, ce qui est montré ne permet pas de reprendre haleine. Voir Norman défroisser soigneusement la bâche de plastique avant d'y déposer le corps de Marion, puis barbouiller de son sang le bac à douche avec le balai du gardien, tout cela nous maintient dans l'horreur. Le retour à la réalité qui était supposé nous apaiser ne fait qu'augmenter notre angoisse.

Remarque sur le scénario

Notez la façon dont le scénario utilise naturellement le montage sans s'embarrasser de détails techniques.

Autres films
- *La Corde* (le film dans son entier)
- *La Soif du mal* (la scène d'ouverture)
- *The Player* (la scène d'ouverture)
- *Les Quatre Cents Coups* (de nombreuses séquences tout au long du film)

Remarque historique

Hitchcock a filmé *La Corde* (1948) en un seul plan séquence. Il n'arrêtait la caméra que pour permettre les changements de pellicule.

Psychose (1960) - suite de la scène de la douche

Scénario : Joseph Stephano. Version révisée, 1er décembre 1959.

D'après le roman de Robert Bloch.

EXT. L'ALLÉE - (NUIT)

Norman arrive en courant VERS LA CAMÉRA. Il se précipite pour entrer en très gros plan dans le cadre, et nous voyons la terreur déformer son visage. Comme il revient à toute allure, la CAMÉRA FAIT UN PANORAMIQUE HORIZONTAL, le suit pendant qu'il court vers le porche, puis rapidement le long du porche jusqu'à la chambre de Mary.

INT. BUNGALOW DE MARY - (NUIT)

Norman s'arrête un instant dans l'embrasure de la porte, jette un coup œil dans la chambre, écoute la douche couler, voit que la porte de la salle de bains est ouverte. Il va vers la salle de bains, regarde à l'intérieur, voit le corps.

Doucement, presque soigneusement, il porte ses mains à son visage, se cache les yeux, se détourne. Puis il traverse la chambre pour aller à la fenêtre, regarde vers la maison. L'angle de prise de vue est tel que nous voyons la table de nuit et le journal posé dessus.

Après un instant, Norman quitte la fenêtre, s'affaisse sur le bord du lit.

NOUVEL ANGLE - DERRIÈRE NORMAN

Norman est assis sur le lit, la salle de bains à l'arrière-plan. Nous ne voyons que la main de la morte, étendue sur le carrelage.

1.

2.

3.

4.

5.

6.

7.

8.

Procédé technique 21 : montage alterné

Il y a montage alterné lorsque des actions se déroulant dans des endroits différents se succèdent alternativement dans une séquence. Ce procédé, qui donne l'impression de simultanéité, est couramment utilisé dans la dernière partie d'un film pour amener l'intrigue à son point culminant. Le montage alterné peut également être employé à d'autres fins. Dans *Cabaret*, qui a obtenu huit oscars, cette technique intervient à la fin de la seconde partie pour marquer le changement de climat politique, une idée difficile à faire passer sans l'aide des dialogues. Voici la manière dont le réalisateur s'y est pris.

Exemple cinématographique : *Cabaret*

L'histoire se passe à Berlin pendant l'accession d'Hitler au pouvoir. Nous voyons d'abord le monde libre du cabaret. Puis, au fur et à mesure que le film se développe, la présence nazie s'intensifie jusqu'à tout gangrener. Le changement de climat politique est évoqué à travers un numéro de danse, rythmé par un montage alterné ; à la fin de la scène apparaissent les conséquences concrètes de ce changement.

1re partie

Le numéro de danse commence de la même façon que ceux que l'on a pu voir précédemment. Les danseuses balancent les jambes en ligne pendant que le maître de cérémonie lance au public des plaisanteries grivoises. Le changement commence alors.

2e partie

Les danseuses s'arrêtent, retirent les fleurs piquées dans leur chapeau et le font pivoter. De coquets qu'ils étaient, les chapeaux prennent une allure martiale, et le pas de danse se transforme en pas de l'oie des défilés nazis.

L'éclairage jaune-orange associé au lyrisme et à la liberté est remplacé par un brouillard bleu et froid. Puis le montage alterné commence.

3e partie

On passe du pas de l'oie des danseuses à la maison d'une jeune femme juive. Chaque retour au plan de la maison de la femme intensifie la sauvagerie des brutes qui ont pénétré dans sa propriété. Nous voyons d'abord les voyous se ruer sur les grilles, puis la femme abasourdie dans l'embrasure de la porte, qui répond aux derniers visiteurs nocturnes qui s'en vont ; enfin, son petit chien étendu mort sur le seuil. Le massacre sauvage de son chien ancre la danse abstraite dans la réalité.

Valeur dramaturgique

Le montage alterné part d'un concept pour arriver à sa matérialisation. Il exprime l'idée qu'un certain monde est révolu et qu'un nouveau vient d'arriver. La violence des nazis est devenue la norme et continuera en toute impunité.

Remarque sur le scénario

Les deux extraits du scénario présentés ici ont été réunis en une scène unique au montage final.

Autres films

- *Pulp Fiction*
- *Le Lauréat*
- *Thelma et Louise*

Cabaret (1972)

Scénario : Jay Presson Allen. 1er état, 7 juin 1970.

D'après le livre de Christopher Isherwood, *Berlin Short Stories*,
et la pièce de théâtre de John van Druten, *I am a Camera*.

INT. KIT KAT CLUB - NUIT

MUSIQUE BAVAROISE ASSOURDISSANTE - LES PROJECTEURS
PLEIN FEU

- LE PUBLIC DU CLUB EXTRÊMEMENT ENTHOUSIASTE.

Le MC (maître de cérémonie), toujours dans le
cabaret, maquillé, mais il porte maintenant une
chemise et un costume folkloriques, il est en train
d'exécuter une danse bavaroise traditionnelle... sur
une DANSEUSE non reconnaissable ; en souriant, il
lui administre des claques sur le visage et le
corps, en rythme sur la musique. La violence comique
de cette scène sera intercalée avec de brefs plans
de violence réaliste. La musique s'arrête net à
chaque plan de l'agression.

BREF PLAN CUT SUR :

Max, frappé sur le sol, ensanglanté mais toujours
silencieux alors que les nazis commencent à lui
donner sauvagement des coups de pied.

BREF PLAN CUT SUR :

Plan des pieds du MC qui continuent de marcher en
rythme sur l'air de danse folklorique, dans de
robustes bottes bavaroises.

BREF PLAN CUT SUR :

Plan des pieds des nazis qui donnent des coups de
pied à Max.

BREF PLAN CUT SUR :

Le MC souriant, dansant, claquant des mains,
marchant lourdement.

BREF PLAN CUT SUR :

Sur le dernier temps de la musique, le JEUNE NAZI
envoie un dernier coup de pied à MAX, qui s'en va
rouler au loin pour souffrir le martyre en silence.

1.
2.
3.
4.
5.
6.

INT. KIT KAT CLUB - NUIT

Les GIRLS du Kit Kat (sept filles environ) sortent des coulisses en
exécutant un numéro caractéristique de "Tiller Girls". De face, les bras
de chaque côté du corps, marchant en rythme, etc. Elles sont habillées
sommairement, laissant voir un peu de leur chair, en haut des bas et à la
naissance des seins. Soudain, nous réalisons que le MC est l'une des
filles.

(Remarque : ceci sera une version du numéro dans lequel le MC va se révéler
comme travesti.)

Comme la danse tire à sa fin, nous entendons le bruit inquiétant de
tambours militaires. Alors que le MC et les GIRLS marchent au pas de l'oie
vers les coulisses, la musique passe à une version martiale de "TOMORROW
BELONGS TO ME".

Procédé technique 22 : split screen

Le split screen – ou multi-images – présente dans un même cadre deux plans contigus. Tout comme le montage alterné, le split screen tend à accentuer l'impression de simultanéité. Très à la mode dans les années cinquante et soixante, cet effet était souvent utilisé pour montrer les conversations télépho-niques, comme dans *Pillow Talk* avec Rock Hudson et Doris Day. Si le split screen a été utilisé également dans les films d'horreur classiques, il ne se limite pourtant pas à un genre particulier. Tout récemment, Quentin Tarantino lui a donné une nouvelle jeunesse dans *Kill Bill vol. I*, film inspiré par la bande dessinée.

Exemple cinématographique : *Kill Bill vol. I*

Ayant survécu de façon inattendue à une violente agression, Black Mamba (Uma Thurman) est dans le coma sur un lit d'hôpital. Un assassin est mandaté pour finir le travail.

Au moment où l'assassin, habillé en infirmière, marche vers le lit d'Uma Thurman, le film passe en split screen, et nous voyons simultanément Uma Thurman inconsciente dans son lit et l'assassin qui se rapproche.

Valeur dramaturgique

Le split screen peut montrer sur le même écran deux images ou plus. Dans cet exemple où les deux images semblent se toucher, le split screen suggère la proximité physique de la victime et de l'assassin : c'est un moyen de prolonger et d'intensifier le suspense.

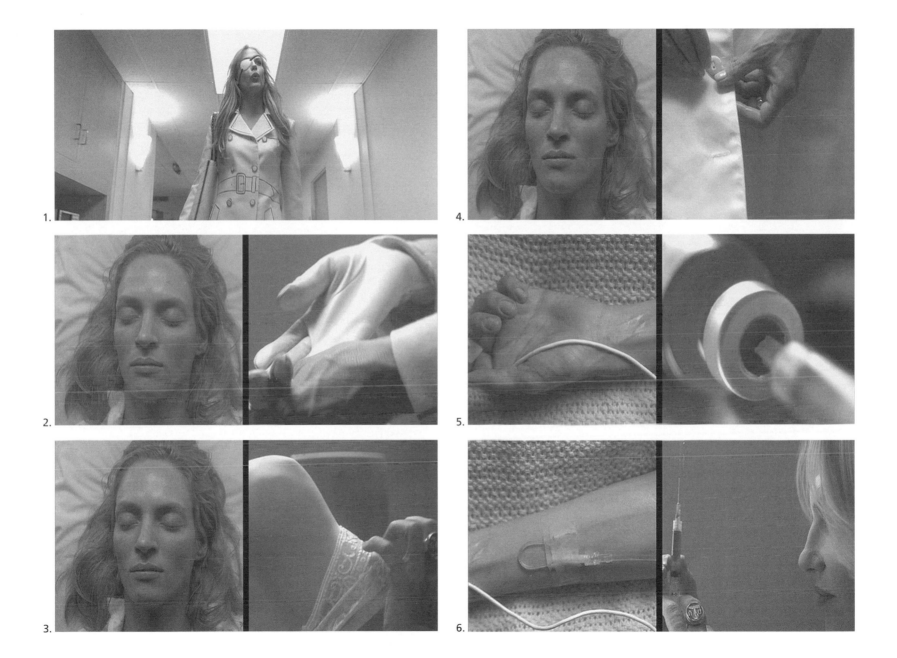

Procédé technique 23 : fondu enchaîné bref

Le fondu enchaîné mélange deux plans : le premier disparaît progressivement tandis que le second apparaît en surimpression. Le fondu enchaîné, qui permet également d'adoucir le passage d'un plan à un autre, peut être bref ou long au gré du réalisateur. Depuis les années vingt, il constitue est une technique de base du cinéma.

Exemple cinématographique : *Citizen Kane*

Dans le scénario de *Citizen Kane*, Orson Welles et Herman Mankiewicz utilisent le fondu enchaîné pour donner l'impression de gigantisme. Dans la scène d'ouverture, douze fondus enchaînés exposent l'état de la fortune de Kane. Chaque fondu nous montre une partie de sa richesse et en souligne l'importance. Aucun plan unique ne pouvant visuellement embrasser tous ces biens, le choix a été fait de les multiplier.

Valeur dramaturgique

Un fondu enchaîné réunit deux idées en mêlant deux images. Dans l'exemple de *Citizen Kane*, les multiples plans de la fortune de Kane se succèdent tout en restant liés les uns aux autres par les fondus enchaînés. Cet effet, qui est souvent utilisé pour marquer le temps qui passe, offre d'innombrables possibilités dramaturgiques.

Remarque sur le scénario

Bien que les douze fondus enchaînés soient consignés dans le scénario, par manque de place deux seulement sont présentés ici.

Autres films

- *Metropolis* (la transformation de l'héroïne en robot)
- *Barton Fink* (son arrivée à l'hôtel Earle, les vagues)

Citizen Kane (1941)

Scénario : Herman J. Mankiewicz et Orson Welles.

```
EXT. XANADU - CRÉPUSCULE - 1940 (MAQUETTE)
```

Une fenêtre éclairée, très petite en raison de la distance à laquelle elle se trouve.

Tout autour règne une obscurité presque complète. Alors que la caméra s'avance doucement vers la fenêtre, qui a presque la taille d'un timbre-poste dans l'image, d'autres formes apparaissent : des barbelés, une barrière, puis une gigantesque grille en fer forgé se découpant sur le ciel du petit matin. La caméra s'élève vers ce qui se révèle être une grille d'entrée aux proportions gigantesques, couronnée par une grande initiale « K », de plus en plus sombre dans le ciel. Derrière et au loin, nous voyons la colline de conte de fées de Xanadu, le grand château se profilant à son sommet, et la petite fenêtre comme un signal lointain dans l'obscurité.

```
FONDU ENCHAÎNÉ :
```

(UNE SUITE DE PLANS, TOUS DE PLUS EN PLUS PROCHES DE LA GRANDE FENÊTRE, TOUS RACONTANT QUELQUE CHOSE DE :)

La propriété véritablement incroyable de CHARLES FOSTER KANE.

Son côté droit s'étend sur près de 40 miles le long de la côte du golfe du Mexique. Il s'étend véritablement dans toutes les directions, au-delà de ce que l'œil peut percevoir. Presque désertique et plat à l'origine, ce terrain était devenu une zone marécageuse lorsque Kane l'acquit et changea son aspect ; il est aujourd'hui agréablement varié, avec un joli mélange de collines et une montagne de belle taille, entièrement élevée de la main de l'homme. Le paysage a été embelli, mis en culture ou semé de parcs et de lacs. Le château se dresse sur de gigantesques fondations ; il est composé de plusieurs châteaux authentiques d'origine européenne et de styles variés, et domine la scène du sommet de la montagne.

```
FONDU ENCHAÎNÉ :

TERRAINS DE GOLF (MAQUETTE)
```

Devant lequel nous nous déplaçons. Le gazon des greens a poussé et ils sont complètement envahis ; le fairway est à l'abandon, plein d'herbes sauvages, les terrains ne sont pas entretenus depuis longtemps.

```
FERMETURE EN FONDU :
```

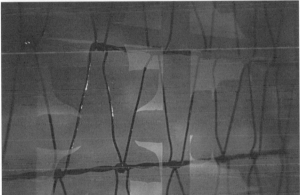

1.

2.

3.

Procédé technique 24 : fondu enchaîné long

Comme nous l'avons vu au chapitre précédent, le fondu enchaîné superpose deux effets : une image s'imprime sur une image qui disparaît.

Exemple cinématographique : *Barton Fink*

Le film commence avec le succès d'une pièce de Barton à Broadway. Peu après son triomphe, nous voyons le héros se disputer avec son agent qui le presse de se rendre en Californie pour tirer profit de sa renommée et « faire de l'argent ». Inflexible, Barton refuse, ne voulant pas quitter New York et l'homme de la rue, qui sont les sources de son inspiration.

Premier plan

Le fondu fait apparaître l'issue de leur dispute : une image emblématique de vagues qui s'écrasent sur un rocher dans l'océan Pacifique. De toute évidence, l'agent de Barton a gagné. Nous voyons alors un long fondu mélanger l'image de l'océan à celle d'un endroit inattendu : le foyer de l'hôtel Earle.

Second plan

La seconde image ne révèle rien d'autre qu'Hollywood. Au fur et à mesure que le long fondu se dissipe, le sol de l'hôtel semble mouillé par l'océan. Puis l'image de l'océan disparaît et Barton reste seul. C'est comme si le héros avait été éjecté de l'océan pour atterrir dans ce foyer miteux, tel un poisson hors de l'eau.

Le fondu enchaîné a pour fonction de faire un contraste entre l'image caractéristique de la Californie et la nouvelle réalité dans laquelle se retrouve Barton. Ce fondu souligne également son nouveau statut d'outsider.

Valeur dramatique

Les fondus enchaînés adoucissent également les transitions entre les plans.

Autres films

- *Titanic* (voir procédé technique n° 5, page 128)
- *Apocalypse Now* (introduction du héros)
- *Adaptation* (la séquence par épisodes du début)

Procédé technique 25 : smash cut

Le but du smash cut est de choquer le spectateur au moyen d'un changement soudain et inattendu d'image ou de son. Voici deux exemples qui montrent en quoi consiste ce type de raccord ; il existe bien sûr d'autres manières de les réaliser – et bien d'autres sont encore à inventer.

Exemple cinématographique : *American Beauty*

Dans ce film, le scénariste Alan Ball utilise un smash cut à la fois visuel et sonore pour introduire son héros, Lester Burnham, profondément endormi dans son douillet pavillon de banlieue. Les effets visuels suggérés par l'auteur ont cependant été largement réduits au tournage par le réalisateur, Sam Mendes ; les éléments de l'histoire restent grosso modo les mêmes.

Le smash cut visuel fait se succéder un plan large aérien et le gros plan d'une horloge. L'effet a été intensifié par un smash cut au son, où l'explosion de la sonnerie de l'horloge succède au silence.

Exemple cinématographique : *Psychose*

Le raccord d'un plan large avec un très gros plan donne également un smash cut. L'effet provoque un choc visuel, comme dans la scène de la cage d'escalier de *Psychose*, où deux plans en plongée se succèdent.

Remarque : on peut également raccorder un plan en mouvement rapide à un plan statique. L'effet est comparable à un train à grande vitesse qui percuterait un mur de béton avant de s'arrêter net.

Remarque sur le scénario

Les auteurs spécifient parfois leurs intentions en écrivant sur le scénario : « smash cut entre telle et telle image ou telle et telle scène », mais la plupart du temps l'auteur se contente de juxtaposer les deux images, sans signaler formellement le smash cut.

Valeur dramaturgique

Comme beaucoup d'autres procédés, le smash cut met une scène en évidence. Il doit être utilisé à propos, sinon l'effet anticipé par le spectateur fera long feu.

American Beauty (1999)

Scénario : Alan Ball. 4 janvier 1998.

```
EXT. LA BANLIEUE - PETIT MATIN

Le garçon sur son vélo regarde, admiratif. L'HOMME flotte
doucement au-dessus de lui et ébouriffe ses cheveux. Le chien
ABOIE. L'homme continue de voler, roule sur le dos comme un
marsouin joueur. Le chien continue d'ABOYER… et nous passons en

SMASH CUT À :

INT. LA MAISON DE BURNHAM - CHAMBRE PRINCIPALE - JOUR

Nous ENTENDONS le rude BOURDONNEMENT D'UN RÉVEIL-MATIN. La
chanson de Vic Damone "I'M NOBODY BABY" résonne quelque part
dans la maison. Dehors, un chien ABOIE toujours.
```

1.

2.

American Beauty

Psychose (1960)

Scénario : Joseph Stephano. Version révisée, 1ᵉʳ décembre 1959.

D'après le roman de Robert Bloch.

```
INT. CAGE D'ESCALIER ET ÉTAGE SUPÉRIEUR

Nous voyons Arbogast monter les escaliers. Nous voyons
également la porte de la chambre de la mère s'ouvrir tout
doucement.
Au moment où Arbogast atteint le palier, la porte s'ouvre et la
mère sort rapidement, une main tenant haut la lame d'un énorme
couteau étincelant.

GROS PLAN - LA GROSSE TÊTE ÉTONNÉE D'ARBOGAST
Le couteau taillade sa joue et son cou…
```

1.

2.

Psychose

5e partie

LE TEMPS

LE TEMPS DRAMATURGIQUE

Un film est une dramatisation de la vie. L'assemblage des plans et la mise en ordre chronologique – ou non – des séquences lui donnent sa temporalité. Ce temps, cette durée propre au déroulement du récit cinématographique, a rarement la même valeur que celle que nous vivons. À part le plan séquence, où la durée de l'action égale celle de la séquence, les séquences montées condensent ou dilatent, accélèrent ou ralentissent, gèlent ou interrompent, reviennent sur le cours des événements ou les anticipent.

En synthétisant la réalité, les réalisateurs ne retiennent que les moments qui concourent à l'élaboration du récit et à sa progression dramatique.

Modification de la durée à l'intérieur d'une séquence

Le public est désormais habitué à ces modifications temporelles. Par exemple, une femme passe la porte d'un gratte-ciel. Nous la voyons brièvement monter en ascenseur, puis nous la retrouvons en train de marcher au trente-cinquième étage, dans un cabinet juridique. Cette technique de montage bien connue permet de faire une ellipse temporelle. Le montage peut également dilater un événement en multipliant les inserts ou les plans de réaction.

Ces deux procédés sont devenus des standards techniques qui confèrent une grande souplesse à la narration cinématographique.

Flash-back et flash-forward

Alors que l'utilisation d'un seul flash-back ou d'un seul flash-forward fait rarement difficulté dans un film, l'entrelacement continuel de différentes scènes qui interrompent temporellement l'action dramatique en cours est beaucoup plus difficile à réaliser.

Les limites

Par la voix de son narrateur, un romancier peut relayer de façon synthétique les réflexions d'un personnage sur son passé ou ses rêves d'avenir. Tout au long de l'histoire, des flash-back ou des flash-forward peuvent rappeler des dialogues ou anticiper les actions à venir, et combler ainsi les attentes du lecteur.

Il sera très difficile au réalisateur d'exploiter continuellement ces procédés, à moins qu'il n'emprunte au romancier la voix de son narrateur ou qu'il ne fasse usage de dialogues explicatifs. D'une manière générale, il est perturbant de rompre une action en cours pour évoquer une action qui a déjà eu lieu ou encore à venir, et ce procédé peut désorienter de nombreux spectateurs. Malgré cela, le flash-back et le flash-forward restent de riches techniques narratives, comme en témoignent les films qui suivent.

Films recommandés

Citizen Kane, Titanic, Sorry, wrong Number, Du silence et des ombres, Macadam cow-boy, Out of Africa, Dolores Claiborne, Les Nerfs à vif, Boulevard du crépuscule, Retour vers le futur, Un jour sans fin, Arizona Junior, Cours, Lola, cours !, Larry Flint, Adaptation, American Beauty.

Exercice

Prenez n'importe quel roman qui a été adapté au cinéma et comparez-le avec le scénario. Prenez, par exemple, les dix premières pages du roman *Danse avec les loups*. Remarquez le nombre d'entrelacements temporels qu'il y a dans l'histoire. Le narrateur transporte le lecteur dans le passé et le futur, rappelant les souvenirs du héros tout en exprimant ses aspirations. Jetez maintenant un coup d'œil sur le scénario. Le narrateur est complètement absent des dix premières pages, et il n'y a presque aucune référence au passé et au futur. Ces différentes façons d'utiliser le temps pour raconter la même histoire sont quelque chose d'extrêmement surprenant lorsque l'on sait que Michael Blake est l'auteur à la fois du scénario et du roman.

La comparaison d'un roman avec sa version scénarisée vous permettra rapidement de comprendre la manière dont les romanciers et les scénaristes utilisent les différents procédés narratifs.

Les films suivants jouent sur la durée au moyen de procédés dramatiques différents.

Procédés filmiques

26. Distension de la durée	*Barton Fink*
27. Effet de contraste	*Pulp Fiction*
28. Chevauchement de l'action	*Pulp Fiction*
29. Ralenti	*Raging Bull*
30. Accéléré	*Le Fabuleux Destin d'Amélie Poulain*
31. Flash-back	*Boulevard du crépuscule*
32. Flash-forward	*Larry Flint*
33. Arrêt sur image	*Butch Cassidy et le Kid, Thelma et Louise, Les Quatre Cents Coups*
34. Symbole prémonitoire	*La Leçon de piano*

Procédé technique 26 : distension de la durée

Nous nous attendons toujours à ce que le temps s'écoule comme nous le vivons. Le changement du cours naturel de la durée permet donc d'ouvrir de nouvelles voies narratives. Dans *Barton Fink*, par exemple, le sens de la durée est distendu pour extérioriser l'anxiété du héros plongé dans un nouvel environnement.

Exemple cinématographique : *Barton Fink*

L'hôtel Earle est un nouveau foyer bizarre pour le héros Barton Fink, qui vient tout juste d'arriver de New York. Les frères Coen extériorisent grâce à cet hôtel le malaise du héros confronté à son nouvel environnement.

Dans l'extrait du scénario qui suit, Barton, déjà mal à l'aise après avoir signé le registre que lui a présenté Chet, entre dans l'ascenseur : là, tout se passe comme s'il était entré dans un univers parallèle. Chaque geste du liftier est exagérément distendu, comme si cet homme vivait dans un espace-temps différent, où les minutes valent des heures.

Valeur dramaturgique

Ce procédé technique permet de faire sentir que le monde est incohérent et, en quelque sorte, détraqué. L'absence de dialogue augmente le suspense, laissant le public dans la crainte et l'expectative. Ce procédé donne également à penser que cette altération du temps n'est pas réelle et qu'elle pourrait n'être qu'une projection de l'anxiété du héros.

Modifier le sens de la durée permet de diviser une scène en deux parties distinctes et/ou de répartir les personnages dans deux mondes différents.

Barton Fink (1991)

Scénario : Joel et Ethan Coen, 19 février 1990.

Barton marche vers l'ascenseur.

ASCENSEUR

Barton entre et pose ses bagages.

Un homme âgé, à la barbe blanche mal rasée, portant un uniforme marron graisseux, est assis sur un tabouret devant le panneau d'appel. Il ne prête pas attention à Barton.

Après un moment :

                    BARTON
          … Sixième étage, s'il vous plaît.

Le liftier se lève doucement. Comme il referme la porte :

                    LIFTIER
          Prochain arrêt : sixième étage.

1.

2.

3.

Procédé technique 27 : effet de contraste (rythme et plans alternés)

Le montage alterné de scènes séparées permet un certain nombre d'effets. Dans la séquence d'introduction de *Thelma et Louise*, par exemple, ce procédé permet de comparer les métiers des deux héroïnes. Plus tard, les différences de leur caractère se révéleront avec plus de force au moment où nous les verrons alternativement faire leurs valises.

Le montage alterné sert également à accélérer le rythme d'une séquence et à augmenter le suspense. Voici un exemple tiré de *Pulp Fiction*, prélude à la séquence de « l'adrénaline ».

Exemple cinématographique : *Pulp Fiction*

Situation : Vince fonce vers la maison de son dealer, terrifié par le fait que Mia, la femme de son patron, est en train de faire une overdose sur le siège avant de sa voiture.

Conflit : Vince a désespérément besoin de l'aide de son dealer. Mais Lance, le dealer, contrarie ses plans l'un après l'autre.

Plans sur Vince

Vince entre en scène en conduisant sa voiture face à la caméra. Il est filmé en très gros plan. Sa tête remplit l'écran. Il regarde vers la gauche et ne change pas de position. Il ressemble à un missile impossible à arrêter.

Nous passons alors à la maison de Lance où celui-ci, légèrement sous l'emprise de la drogue, dévore ses céréales tout en regardant, hilare, une grosse farce à la télévision.

Plans sur Lance

Ils sont larges et lâches, et à l'origine réalisés en plan séquence. Le comportement apathique de Lance et le désordre qui règne dans son salon concourent à rendre cette scène un peu floue. Lance se dirige lentement, en robe de chambre, vers le téléphone. Les plans larges et les moments de lenteur accentuent le suspense, ainsi que la combativité naturelle de Lance et son comportement de drogué.

Valeur dramaturgique

Le montage alterne les deux lieux. À chaque fois que nous passons au plan de la maison de Lance, Vince espère avoir la bonne réponse, mais à chaque fois, la réaction de Lance et la construction visuelle du plan l'arrêtent dans son élan. Vince est de plus en plus désespéré, et Lance de plus en plus agressif. Les plans sur Lance sont longs, et leur résultat sans effet. Les plans sur Vince sont serrés et rapides, et visuellement très présents. La dramatisation de ce montage alterné permet de graduer le suspense, tout comme d'autres procédés techniques : angles de caméra, durée des plans et mise en opposition des mouvements.

Pulp Fiction (1994)

Scénario : Quentin Tarantino, mai 1993.

Histoires : Quentin Tarantino et Roger Roberts Avary.

26. INT. MAISON DE LANCE - NUIT

À cette heure tardive, Lance, dealer bon vivant, s'est
métamorphosé en une créature en peignoir.

Il s'assied dans un gros fauteuil bien confortable ; il
porte un pantalon de survêtement bleu de mauvaise
qualité, un tee-shirt usé jusqu'à la corde mais
confortable sur lequel est inscrit « TAFT CALIFORNIA », et
une robe de chambre mitée en éponge. Il tient un bol de
céréales. Devant lui, sur la table basse, se trouvent un
pot de lait, une boîte de céréales et une pipe à
hachisch dans un cendrier.

Le grand écran de la télévision, en face de la table,
diffuse la comédie des Three Stooges ; les protagonistes
vont se marier.

> PRÉDICATEUR (EMIL SIMKUS)
> (à la TÉLÉVISION)
> Prenez vous la main, les tourtereaux.

Le téléphone SONNE. Lance pose son bol de céréales et va
doucement vers le téléphone. Le téléphone SONNE de
nouveau.

Jody, sa femme, qui de toute évidence vient de se
réveiller, l'APPELLE de la chambre.

> JODY (hors champ)
> Lance, bordel, ça sonne !

> LANCE (lui répondant)
> J'ai entendu !

> JODY (hors champ)
> Je croyais que t'avais dit à ces emmerdeurs
> de pas appeler si tard !

> LANCE (au téléphone)
> Bien sûr que je l'ai dit à ces connards, et
> c'est exactement ce que je vais dire à
> celui-là, et tout de suite !

> (Il répond au téléphone)
> Allô !

RETOUR SUR VINCENT DANS LA MALIBU

Vincent conduit toujours comme un fou, le téléphone collé
à l'oreille. Pendant la conversation, LES PLANS DES DEUX
SÉQUENCES SONT ALTERNÉS.

1.
2.
3.
4.
5.
6.

Procédé technique 28 : distension de la durée par chevauchement de l'action

De nombreux facteurs concourent au rythme d'un film, comme celui de distendre la durée par le chevauchement de l'action. Cette technique met en valeur un instant précis ou une scène entière, souligne les points clefs d'une intrigue, les scènes cruciales ou les moments d'intense émotion, et introduit du suspense.

Pour distendre la durée en chevauchant l'action, il faut que les scénaristes et les réalisateurs anticipent le montage en construisant la séquence avec un grand nombre de plans de coupe et de plans de réaction : le même événement est filmé à partir d'angles de caméra et de points de vue différents. Le raccord de ces différents plans semble arrêter le temps.

Exemple cinématographique : *Pulp Fiction*

Une des scènes où le suspense est le plus important est celle de « l'adrénaline ». Vincent y poignarde Mia, victime d'une overdose, dans l'espoir de la sauver. Si la scène s'était déroulée en temps réel, elle n'aurait duré que trois secondes. En fait, dans cette séquence, Vincent, le personnage principal, compte les trois secondes, alors que la scène réalisée dure à peu près quarante secondes à l'écran : elle est treize fois plus longue que le scénario le laisse supposer.

Jetez un coup d'œil à l'extrait du scénario et regardez la façon dont Quentin Tarantino règle pas à pas ce moment décisif en multipliant les angles de prise de vue et les plans de réaction.

Valeur dramaturgique

Le temps est complètement ralenti, comme si chaque plan correspondait à une respiration. Le spectateur est pris par le rythme du montage ; il respire avec Vincent, et son anxiété devient la sienne au moment où il se prépare à plonger l'aiguille dans le torse de Mia.

Remarque sur le scénario

Dans l'extrait du scénario ci-contre, chaque phrase équivaut à un plan. Par la seule description de l'action, et sans que cela soit spécifiquement signalé, on sait s'il s'agit d'un gros plan, d'un plan moyen ou d'un plan large.

Autres films

- *Psychose* (la scène de la douche)
- *Le Silence des agneaux* (la scène cruciale)

Pulp Fiction (1994)

Scénario : Quentin Tarantino, mai 1993.

Histoires : Quentin Tarantino et Roger Roberts Avary.

Vincent lève l'aiguille au-dessus de sa tête à la façon d'un poignard. Il baisse les yeux sur Mia.

Mia est en train de mourir. Bientôt, plus rien ne pourra l'aider. Vincent plisse les yeux, prêt à agir.

VINCENT
Compte jusqu'à trois.

Lance, agenouillé juste derrière Vincent, ne sait pas à quoi s'attendre.

LANCE
Un…

TACHE ROUGE sur le corps de Mia. L'aiguille est levée, prête à frapper.

LANCE (hors champ)
… deux…

Le visage de Jody, dans l'expectative de ce qui va se passer. L'AIGUILLE en l'air, en équilibre comme un serpent à sonnette prêt à frapper.

LANCE (hors champ)
… trois !

L'aiguille quitte l'écran EN PLONGEANT violemment. Vincent abat la seringue, POIGNARDANT Mia au cœur.

La tête de Mia TRESSAUTE sous la force du coup. Le piston de la seringue est poussé, FAISANT COULER l'adrénaline à travers l'aiguille.

Mia ÉCARQUILLE LES YEUX BRUSQUEMENT et laisse sortir un CRI INFERNAL de sorcière. Elle RETOMBE assise, l'aiguille plantée dans le torse… EN HURLANT.

1. 2. 3. 4. 5. 6. 7. 8. 9. 10.

Procédé technique 29 : ralenti (dilatation du temps)

Le ralenti est un effet qui s'obtient en faisant défiler la pellicule à travers la fenêtre de prise de vue à une cadence supérieure à la cadence habituelle du cinéma, qui est de 24 images par seconde.

Un des traits essentiels de cet effet est de faire contraste avec le cours réel du temps en suggérant visuellement deux états de conscience. Dans l'exemple ci-dessous, tiré de *Raging Bull*, le ralenti sert à marquer la frontière entre le monde normal et le monde traumatique de la boxe.

Exemple cinématographique : *Raging Bull*

Dans le film de Martin Scorsese, alors que Jack La Motta est battu à mort, nous entrons sur le ring avec lui pour vivre au ralenti la violence du combat. Le ralenti commence au moment où Jack commence à fléchir. Le spectateur voit le monde à travers les yeux du héros jusqu'au coup final.

Valeur dramaturgique

Le ralenti est souvent utilisé pour montrer la façon dont le personnage voit le monde quand il vit un événement traumatique. Lorsque cet effet est couplé avec un plan subjectif, le spectateur entre plus facilement en osmose avec le personnage.

1.

2.

3.

4.

Procédé technique 30 : accéléré (compression du temps)

L'accéléré est un effet qui s'obtient en faisant défiler la pellicule à travers la fenêtre de prise de vue à une cadence inférieure à la cadence habituelle du cinéma, qui est de 24 images par seconde.

Comme cet effet brise l'apparence de la réalité, les séquences réalisées sur ce mode sont généralement séparées du reste du film. Souvent utilisée dans les comédies, cette technique peut également être employée avec succès dans les films dramatiques. Les exemples qui suivent sont tirés de deux films : le premier est teinté de réalisme magique, l'autre est d'une tonalité plus sombre.

Exemple cinématographique : *Le Fabuleux Destin d'Amélie Poulain*

Dans ce film, écrit par Guillaume Laurant et Jean-Pierre Jeunet, Amélie est un personnage fantasque qui s'immisce de façon anonyme dans la vie des gens, pour leur apporter un bonheur inattendu. Dans ce film, Jeunet, le réalisateur, utilise de nombreux trucages dont l'accéléré. Dans les photogrammes ci-contre, Amélie contrefait une lettre écrite par le mari défunt de sa propriétaire afin d'aider celle-ci à apaiser son chagrin.

Exemple cinématographique : *Requiem for a Dream* (non illustré)

Dans le film hautement stylisé de Darren Aronofsky, tiré du roman d'Hubert Selby, l'accéléré est judicieusement utilisé pour illustrer le fait que le traitement donné par le médecin à l'héroïne ne peut que lui être funeste. À l'extérieur du cabinet médical, le médecin se rapproche de Sara en accéléré. Il augmente simplement les doses prescrites et s'en va. Cet effet souligne l'inattention du médecin et le caractère inéluctable de la descente aux enfers de Sara.

Valeur dramaturgique

Utilisé à bon escient, cet effet comprime à la fois le temps et sépare la scène truquée du reste du film.

Procédé technique 31 : flash-back

Procédé classique du roman et du théâtre, le flash-back est utilisé avec parcimonie au cinéma, car il risque de faire perdre au spectateur le fil de l'intrigue. De nombreux livres consacrés à l'écriture d'un scénario mettent en garde contre l'utilisation de ce procédé, le présentant comme une simple façon de « recoller » à une histoire ; de fait, telle est précisément sa fonction, qu'il soit efficace ou non.

Remonter le cours du temps est une sérieuse gageure pour un réalisateur, et à part la technique facile du narrateur, il y a peu de façons de le faire. Le flash-back fonctionne auprès du spectateur s'il fait avancer l'intrigue. Par contre, il est rejeté s'il est galvaudé ou suspend artificiellement le cours du film en arrivant comme un cheveu sur la soupe. Il existe cependant tellement de flash-back réussis que l'on ne peut complètement écarter ce procédé. Les films cités ci-dessous, qui font partie des plus grands succès de l'histoire du cinéma, l'ont utilisé. Jetons un coup d'œil sur *Boulevard du crépuscule*, par exemple, et regardons la façon dont ce film tire parti de ce procédé.

Exemple cinématographique : *Boulevard du crépuscule*

Dans ce grand classique du cinéma, nous faisons la connaissance du héros par le truchement de sa voix off. Il nous raconte qu'un scénariste vient de mourir et que la police mène l'enquête. En quelques plans, nous apprenons que le narrateur n'est autre que le scénariste mort. Nous le voyons enfin, cadavre flottant dans une piscine de Beverly Hills.

La suite du film est un flash-back où le mort nous raconte comment il en est arrivé là.

Valeur dramaturgique

Apporter des détails sur l'envers de l'histoire.

Autres films

- *Citizen Kane*
- *Sorry, wrong Number*
- *Du silence et des ombres*
- *Macadam cow-boy*
- *Out of Africa*
- *Dolores Claiborne*
- *Les Nerfs à vif*

Boulevard du crépuscule *(1950)*

Scénario : Charles Brackett, Billy Wilder, D. M. Marshman. Version du 21 mars 1949.

De A-1
à A-7

Le film commence avec le générique sur un plan
de trottoir, musique, la caméra descend la rue
sur le générique qui défile, puis au bout, elle
fait un panoramique horizontal vers la rue pour
voir le corbillard entrer chez Norma.
La narration commence au moment où le générique
est fini ; la caméra amorce son panoramique.
Hurlements des sirènes…

VOIX OFF DE GILLIS

Des policiers, le
corbillard, des
policiers en moto, tous
tournent dans l'avenue…

Oui, c'est bien Sunset Boulevard, à Los
Angeles, Californie. Il est cinq heures du
matin, environ.
Voici la brigade criminelle. Au grand
complet avec les détectives et les journalistes.
     On a signalé un meurtre dans une de ces
grosses et belles maisons dans le quartier des
dix mille. Vous allez lire ça dans les prochaines
éditions. J'en suis sûr. Vous allez l'entendre
à la radio et le voir à la télévision.

EXT. MAISON DE NORMA
Les policiers arrivent,
vont directement à la
maison en voiture, des
hommes en sortent, la
caméra fait un
panoramique horizontal
comme ils font le tour
de la piscine…

Parce qu'une vieille gloire du cinéma muet est
impliquée. Une des plus grandes. Mais avant que
tout cela ne soit déformé ou
     gonflé inconsidérément, avant que les
gazetiers d'Hollywood n'y mettent les mains,
vous aimeriez peut-être entendre les faits, la
vérité entière. Si tel est le cas, vous êtes à
la bonne adresse. Vous voyez le corps d'un
homme jeune qui a été retrouvé flottant dans la
piscine de sa propriété. Avec deux balles dans
le dos et

PLAN SOUS L'EAU DE
GILLIS
Le visage dans l'eau,
des photos prises au
flash au-dessus.

     une dans l'estomac.C'est pas vraiment
quelqu'un d'important, seulement un scénariste
de série B qui a un ou deux films à son actif.
Le pauvre crétin, il avait toujours rêvé d'une
piscine. Eh bien, il a réussi à l'avoir,
seulement le prix à payer est devenu un peu
trop élevé. Retournons

FONDU ENCHAÎNÉ. EXT.
APPARTEMENT DE GILLIS
À HOLLYWOOD

     six mois en arrière, le jour où tout a
commencé. Je vivais dans un appartement au-
dessus de Franklin et Ivar. Les affaires
étaient dures à cette époque-là. Je n'avais pas
travaillé pour un studio depuis longtemps.
J'étais donc assis là, à pondre péniblement des
histoires originales. Deux par semaine.
Seulement, je crois que j'avais perdu
l'inspiration. Peut-être qu'elles n'étaient pas
originales. Tout ce que je sais, c'est qu'elles
ne se vendaient pas.

1.

2.

Procédé technique 32 : flash-forward

Antonyme du flash-back, le flash-forward brise la temporalité d'une action en cours pour ouvrir sur une action postérieure. On peut ainsi partir d'une action antérieure et, grâce à un flash-forward, arriver dans le présent, ou partir d'une action présente pour arriver dans le futur, que cela soit réel ou fictif.

Les auteurs de *Larry Flint*, Scott Alexander et Larry Karaszewski, ont trouvé une façon originale d'exploiter ce procédé qui concourt à la dramaturgie de la séquence.

Exemple cinématographique : *Larry Flint*

Après l'attentat dont il a été victime, Larry Flint souffre terriblement. À force de calmer sa douleur par la drogue, il devient toxicomane. Sa femme le rejoint alors dans la drogue, et tous deux n'arrivent plus à sortir de leur « brouillard narcotique ».

La séquence du flash-forward commence avec le bruit métallique que fait en claquant la porte de leur chambre à coucher. Dans ce cas précis, il s'agit d'une énorme porte de sécurité en acier munie d'un système de verrouillage : une fois qu'elle est fermée, personne, pas même le spectateur, ne peut entrer. La caméra reste devant la porte, tandis que les mois et les années défilent en titre sur l'écran. Lorsque cinq années sont passées, la porte s'ouvre.

Valeur dramaturgique

Le flash-forward ne nous apprend pas seulement que le temps a passé : il insiste aussi sur l'enfermement des personnages. Il permet de faire progresser l'histoire de façon très fructueuse.

Remarque sur le scénario

Si vous voulez voir un bel exemple de traitement scénaristique, reportez-vous à la version publiée en 1996 chez Newmarket Shooting Script Series. Ce traitement, à l'origine envoyé à Oliver Stone sous forme de lettre, est très intelligent dans son économie et sa façon de faire passer, en à peine trois pages, l'idée de ce que sera le film à l'écran. Les deux scénaristes, Scott Alexander et Larry Karaszewski, ont offert à leurs lecteurs un modèle inestimable qui leur servira dans la tâche difficile qu'est l'écriture d'un scénario.

Larry Flint (1996)

Scénario : Scott Alexander et Larry Karaszewski.
Première version révisée, 1994.

INT. CHAMBRE

ANGLE - ALTHEA

Pas de réponse. Elle écoute ses gémissements pitoyables. Althea regarde fixement Larry, puis l'aiguille qu'elle a à la main.

Elle réfléchit, remplit de nouveau la seringue et remonte sa propre manche. Althea se pique. Alors que la drogue se dissipe dans son corps, elle commence à trembler de façon incontrôlée. Elle grimpe dans le lit et se couche tout près de Larry…

Une pause, puis elle étend le bras et touche un BOUTON.

À L'EXTÉRIEUR DE LA CHAMBRE

Une grosse PORTE EN ACIER de 250 kilos pivote, se ferme et se verrouille dans un bruit sourd.

                    FERMETURE EN FONDU :

OUVERTURE EN FONDU :

La porte, qui ressemble à celle d'un coffre-fort, est toujours fermée.

Apparaît EN SURIMPRESSION : « CINQ ANS PLUS TARD. 1983 »

INT. CHAMBRE

La chambre à coucher est devenue une chambre d'épouvante : sale, sombre et suintante. Des années de consommation insensée de la drogue ont vieilli Althea et Larry plus qu'on ne pourrait le croire : ravagé, Larry a grossi de 25 kilos. Althea est décharnée, blême, et est devenue une camée minable. Elle porte un anneau dans le nez et ses bras sont criblés de marques de piqûres.

Ils discutent de façon incohérente, dans un brouillard narcotique.

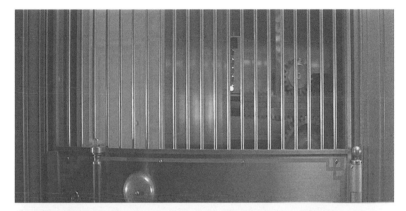

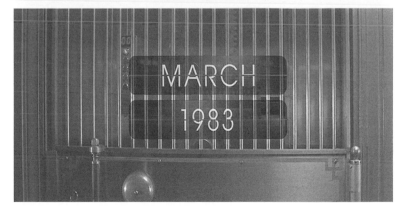

Procédé technique 33 : image gelée ou arrêt sur image

L'image gelée, ou arrêt sur image, donne le sentiment que l'image se fige à l'écran ainsi qu'une photographie. Ce trucage consiste à isoler une image d'un plan en mouvement, et à la multiplier en laboratoire.

Dans *Kill Bill vol. I*, l'arrêt sur image se produit quand le personnage interprété par Uma Thurman se souvient du moment où on lui a tiré dessus. En figeant ce moment, le réalisateur oblige le spectateur à lui prêter une attention particulière.

Dans les trois films passés en revue ci-dessous, il est également fait usage de l'image gelée sur la dernière image du film pour nous laisser sur un souvenir emblématique du héros.

Exemples cinématographiques : *Butch Cassidy et le Kid, Thelma et Louise, Les Quatre Cents Coups*

Dans *Butch Cassidy et le Kid* et *Thelma et Louise,* le spectateur en vient à sympathiser avec les héros qui vont très probablement mourir. Plutôt que de lui faire voir ses héros bien-aimés affronter les derniers instants de leur vie, les scénaristes et les réalisateurs figent l'image sur les personnages pour qu'ils restent vivants à jamais.

L'effet est le même dans *Les Quatre Cents Coups*, où le jeune héros vient juste de s'évader de la maison de redressement. Après avoir envisagé toutes les directions possibles, il se dirige vers la plage. Au lieu de nous le montrer encore plus malmené par les événements, le film se termine sur son image gelée.

Valeur dramaturgique

L'arrêt sur image suspend un personnage ou une action dans le temps. Bien que nous puissions envisager ce qui va arriver, nous ne le saurons jamais vraiment. Ce qui doit arriver n'arrivera jamais, les personnages ne vieilliront pas, ne changeront pas, ne mourront jamais : l'arrêt sur image protège les personnages de l'usure du temps. Lorsque cet effet apparaît en fin de film, il offre au spectateur une photographie finale, une sorte d'image emblématique qu'il pourra emporter avec lui.

Autres films

- *Blood Simple* (le plan final)
- *Kill Bill vol. I* (le moment de la prise de conscience)

Butch Cassidy et le Kid (1969)

Scénario : William Goldman, 1969.

GROS PLAN - LE CAPITAINE

Alors qu'il pointe du doigt, à maintes reprises, la petite pièce où se trouvent Butch et Sundance :

CAPITAINE
À l'attaque ! À l'attaque ! À l'attaque !

RACCORD SUR :

Un groupe d'hommes, qui saute le mur, se déplace rapidement vers l'avant.

RACCORD SUR :
Un autre groupe d'hommes, et encore un autre ; tous sautent le mur et se mettent à courir et…

RACCORD SUR

GROS PLAN de BUTCH ET SUNDANCE

La caméra les fige. Et comme il se doit, on entend une terrible fusillade, puis une autre, encore plus forte, et de plus en plus de coups de feu. Les coups de feu continuent de résonner.

Butch et Sundance sont gelés à l'image.

Dernière fermeture en fondu.

FIN

Butch Cassidy et le Kid

Thelma et Louise

Les Quatre Cents Coups

Procédé technique 34 : symbole prémonitoire

Quand un geste, une situation, un accessoire, etc. vient très tôt dans le cours d'un film pour anticiper une action qui arrivera plus tard, on peut dire que ce geste, cette situation ou cet accessoire agit comme un symbole visuel prémonitoire.

Exemple cinématographique : *La Leçon de piano*

Vers la fin de la seconde partie du film, Ada, l'héroïne du film de Jane Campion, est punie pour avoir trahi son mari. Celui-ci prend une hache et lui tranche un doigt.

Cette scène violente est annoncée bien plus tôt dans le film par le truchement d'une pièce de théâtre. À la fin de la première partie, le pasteur et les belles-sœurs d'Ada répètent une pièce de théâtre d'ombres. Les ombres miment une scène qui va se produire plus tard de façon presque identique. Bien que cette première scène pose le symbole prémonitoire, le spectateur n'en prend conscience qu'une fois que la seconde scène se produit.

Valeur dramaturgique
Le symbole prémonitoire met le spectateur dans l'expectative. Dans *La Leçon de piano*, le théâtre d'ombres prépare l'action physique et les valeurs sociétales qui seront rappelées plus tard dans le film.

Autre film
■ *Retour vers le futur* (les horloges dans la scène d'ouverture)

La Leçon de piano (1993)

Scénario : Jane Campion.

4ᵉ version, 1991.

Sc. 59 INT. PRESBYTÈRE NUIT

STEWART, TANTE MORAG et NESSIE regardent attentivement le
PASTEUR qui découpe la silhouette d'une hache dans du carton.
La lumière d'une lampe fait danser de chauds reflets sur les
visages, tandis que le reste de la pièce est dans l'obscurité,
créant une atmosphère de conspiration.

> PASTEUR
> Nessie, mets ta main ici… Ici, s'il te plaît.

> NESSIE
> Oh, pas question, M. Stewart, je ne sais pas jouer.

> PASTEUR
> Nessie, s'il te plaît.

Avec hésitation, NESSIE tend son bras vers le PASTEUR qui
brandit la hache en l'air, à soixante centimètres de son bras ;
Nessie regarde la TANTE MORAG, perplexe.

> PASTEUR
> Regarde, tu es attaquée !

Le PASTEUR indique le mur de papier peint rose, en face, où se
trouvent son ombre et celle de la hache en carton qui semble
maintenant très réelle ; les ombres surgissent, imposantes, au-
dessus de NESSIE et l'attaquent. NESSIE se tapit sur le sol et
hurle, ainsi que MARY.

> PASTEUR
> Et avec le sang, ça fera un bel effet.

Sc. 60 INT. CABANE DE BAINE - JOUR

Le doigt d'ADA appuie sur la quatrième touche noire du côté de
la main gauche, déchiffrant la quatrième leçon.

2.

1.

3.

6e partie

LES BRUITAGES

LES BRUITAGES : SONS DIÉGÉTIQUES, NON DIÉGÉTIQUES, MÉTA-DIÉGÉTIQUES

Outre la partition musicale, les films s'appuient sur trois types de sons pour raconter une histoire :

les dialogues ;
la voix off ;
les bruitages.

Les bruitages et le scénariste

Alors que la voix off et les dialogues sont des procédés narratifs bien connus des scénaristes, peu d'entre eux utilisent les bruitages avec la même facilité. Ceux-ci, pourtant, sont tout autant de leur ressort que les symboles visuels, et de la même façon que le scénariste peut inventer une métaphore visuelle, les bruitages peuvent traduire une métaphore auditive et des idées qu'il serait difficile de faire passer autrement.

Les bruitages peuvent être patents ou très subtils, attirer intentionnellement l'attention ou se révéler de façon furtive. Ils peuvent également être associés à des événements ou des personnages spécifiques.

Types de bruitage

Le son qui est constitutif d'une scène est souvent appelé son *diégétique*. Les bruitages qui s'y attachent peuvent être réalistes ou retravaillés en vue de produire un effet. Les effets extérieurs, c'est-à-dire ceux qui ne sont pas visuellement liés à la scène ou à l'histoire, sont appelés *non diégétiques*, et peuvent être ajoutés pour accroître l'intensité dramatique.Pour plus de facilité, nous pouvons diviser les bruitages en quatre catégories :

Réaliste

Est réaliste tout bruitage qui correspond naturellement à la scène filmée. Ce fond sonore, qui peut être qualifié de son d'ambiance, peut courir dans le champ ou hors champ. Le fait d'ajouter un bruitage des plus ordinaires, comme le son d'un klaxon ou d'un métronome, ou encore le bourdonnement d'un moustique, peut modifier le caractère ou l'ambiance d'une scène.

Expressif

Un bruitage expressif est un son réaliste retravaillé en studio : il peut s'agir d'une sonnerie de téléphone qui commence à sonner normalement mais se met soudain à résonner de plus en plus fort.

Surréaliste

Ces bruitages sont souvent utilisés pour appuyer les pensées intimes d'un personnage, ses cauchemars, ses hallucinations, ses rêves ou ses désirs. On peut entendre, par exemple, le rire d'un enfant au moment où une femme ramasse une poupée. Cet effet, qui donne souvent à la scène une tonalité étrange et surréelle, est appelé *méta-diégétique*.

Extérieur

Est considéré comme bruitage extérieur tout son extérieur à la scène et qui ne peut donc être, de toute évidence, ni entendu ni provoqué par les personnages. Si l'un d'entre eux, par exemple, se trouve à l'agonie et que l'on entend le tintement des cloches d'une église, tout en sachant qu'il n'y a aucune église dans les environs, nous tenons cet effet pour extérieur à l'histoire racontée. Cet effet, qui a pour but d'attirer l'attention du spectateur sur la signification de la scène, est appelé *non diégétique*.

Le scénariste peut indiquer une métaphore auditive particulière ou le climat sonore d'une séquence, mais dans la plupart des films les monteurs son ont la charge de la majeure partie de ces effets. Ces bruitages, qui sont des procédés narratifs aussi puissants que les dialogues et l'image, doivent être utilisés à propos et ne pas prendre le pas sur l'écriture. De même que pour les autres éléments du scénario, le réalisateur a toute latitude pour les supprimer ou les intensifier.

Voici quelques idées à prendre en compte lorsque l'on souhaite utiliser des bruitages :

- ils peuvent être un support essentiel de l'histoire ou un élément de l'intrigue ;
- le son et l'image n'ont pas nécessairement à se répondre ;
- un son réaliste peut être retravaillé par souci d'expressivité ;
- les bruitages peuvent exprimer les pensées intimes des personnages ;
- ils peuvent être identifiés à un personnage ou rappeler un événement ;
- ils peuvent être totalement extérieurs à la scène ;
- deux bruitages placés l'un derrière l'autre – tout comme on raccorde deux plans – peuvent générer une troisième idée entièrement nouvelle.

Procédés techniques

35. Bruitage réaliste (diégétique) – personnage
Klute

36. Bruitage réaliste (diégétique) – réflexe conditionné
ET

37. Bruitage expressif (diégétique) – monde extérieur
Barton Fink

38. Bruitage surréaliste (méta-diégétique) – monde intérieur
Barton Fink

Procédé technique 35 : bruitage réaliste (diégétique) – personnage

Le bruitage réaliste, connu également sous le nom de son diégétique, est l'ambiance sonore qui répond logiquement à l'image filmée. Dans le film *Klute*, écrit par Andy et Dave Lewis et acclamé par la critique, le bruitage diégétique est intelligemment utilisé pour révéler un personnage.

Exemple de scénario : *Klute*

Dans la troisième partie de l'histoire, l'ancienne call-girl Bree Daniels (Jane Fonda) se retrouve sans le savoir face à un meurtrier. Lorsque soudain un téléphone se met à sonner, Jane Fonda tressaille. Elle remarque que l'homme qui se tient à ses côtés ne marque aucune réaction. Cette atonie lui fait comprendre que cet homme est, de fait, le meurtrier. Bien que cette séquence soit différente dans le film, l'enregistrement sonore d'une femme à l'agonie a été substitué à la sonnerie du téléphone pour révéler le personnage.

Exemple cinématographique : *Klute*

Dans la version filmée, Jane Fonda est assise en face de l'homme. Ce dernier l'oblige à écouter une bande audio qu'il a apportée avec lui. Au fur et à mesure que la bande avance, Jane Fonda se rend compte qu'elle écoute l'assassinat de son amie et que l'homme est complètement indifférent aux cris enregistrés. C'est à ce moment précis qu'elle prend conscience que la bande n'est qu'un prélude au meurtre – et qu'elle est la prochaine victime.

Valeur dramaturgique

Dans les deux versions, c'est l'indifférence du meurtrier à la bande son qui révèle qui il est. Le suspense s'installe au fur et à mesure que l'héroïne cherche à comprendre le comportement du méchant. Jane Fonda y parvient au moment crucial du film, entraînant par là même une nouvelle scène.

Autres films

- *Seven* (le métronome)
- *ET* (le bruit des camions)

Klute (1971)

Scénario : Andy et Dave Lewis, 1971.

Cet extrait est pris au milieu de la séquence.

```
104. INT. USINE DE VÊTEMENTS - NUIT

                CABLE
              (poursuivant)

     Son agenda noir, celui de Jane
     McKenna, sa liste de… de personnes. On
     m'a dit que vous le recherchiez dans
     son intérêt…
```

Le TÉLÉPHONE SONNE, un bruit violent. Bree
sursaute. Le téléphone a été branché sur la
sonnerie de nuit, pour résonner partout dans
l'entrepôt, et le bruit est assourdissant. Mais le
plus étrange est que Cable n'y prête aucune
attention. Le téléphone n'arrête pas de sonner, et
Cable parle et parle… sur le même ton qu'avant,
sans hausser la voix. La plupart de ses mots
deviennent incompréhensibles…, <u>de toutes les
phrases qui suivent, nous ne comprenons tout au
plus que des bribes</u>… mais il semble ne plus rien
écouter d'autre que ce qui torture son âme.

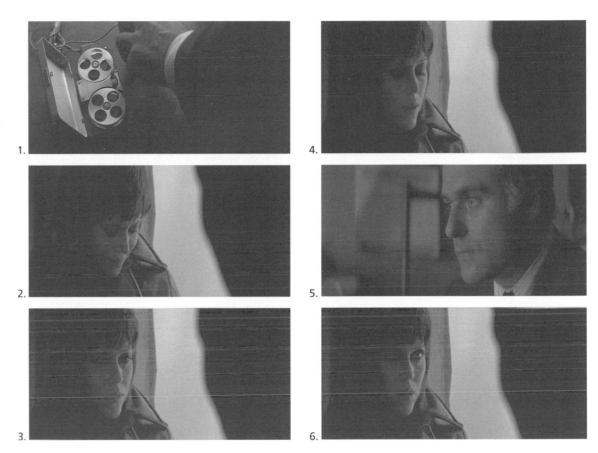

1.

2.

3.

4.

5.

6.

Procédé technique 36 : bruitage réaliste (diégétique) – réflexe conditionné

Des bruits différents appellent des réactions différentes. Le bruit du bois que l'on frappe est plutôt ressenti comme rassurant, celui du métal contre le métal, plutôt inquiétant.

Dans le célèbre scénario de *ET*, Melissa Mathison exploite notre dégoût viscéral des bruits métalliques pour introduire les premiers ennemis de ET, les « hommes aux clefs ».

Exemple cinématographique : *ET*

Dans les premières scènes du film, une bande d'hommes arrive au volant de gros camions menaçants, dans l'intention de capturer ET. Lorsqu'ils sortent des camions, ils sont filmés de la taille jusqu'aux pieds : leur visage est invisible. Ils portent à la ceinture de grosses clefs qui font un bruit de ferraille quand ils se mettent à poursuivre ET. Le bruit des clefs est immédiatement identifié comme étant celui des ennemis qui se rapprochent. Remarquez, dans l'extrait du scénario ci-contre, que Mathison donne expressément le nom de « Keys » (Clefs) à l'un des protagonistes.

Valeur dramaturgique

En associant les ennemis à un bruit, qu'ils soient ou non présents à l'écran, le spectateur se trouve à même de juger de la distance qui les sépare de leur victime. En écoutant soigneusement ce bruit, le public est contraint de participer, de faire sien le jeu de la victime. Cet effet entretient l'attention du spectateur tout comme il intensifie le suspense.

Autres films

- *Vol au-dessus d'un nid de coucou* (les clefs)
- *Seven* (le métronome)
- *ET* (le bruit des camions)

ET (1982)

Scénario : Melissa Mathison. Version révisée, 8 septembre 1981.

Scénario du tournage.

24. PLAN SUBJECTIF DE LA CRÉATURE : LA PORTIÈRE

La portière s'ouvre et un homme descend, filmé à partir de la taille. On ne voit qu'un pantalon noir, de solides bottes et un gros trousseau de clefs qui pend à sa ceinture.

Les CLEFS font un vacarme épouvantable, couvrant tous les autres bruits de la nuit.

25. CONTRE-CHAMP : LA CRÉATURE

LA CRÉATURE court se cacher alors que sa LUMIÈRE ROUGE S'ALLUME. Nous en apercevons la lueur à travers les arbustes. Il rétracte sa main pour la cacher.

26. PLAN PLUS LARGE : PLUS DE VOITURES

De plus en plus de voitures arrivent. Nous VOYONS des PHARES briller et nous ENTENDONS des portières claquer, des voix étouffées. Puis nous ENTENDONS LA CRÉATURE casser une branche d'arbuste. Elle la tient contre son buste. LE BRUIT DES CLEFS.

Soudain, les éclairs des faisceaux des lampes de poche encerclent la route et balayent les arbres.

Sans se faire remarquer, LA CRÉATURE va vers la colline et traverse la route.

27. EXT. RAVIN - NUIT PLAN D'ENSEMBLE

Nous voyons les ombres des hommes sauter le ravin et courir tout droit dans la forêt. LA CRÉATURE se cache tout au fond du petit ravin.

KEYS est le dernier à sauter.

Le BRUIT des CLEFS est abominable.

1.

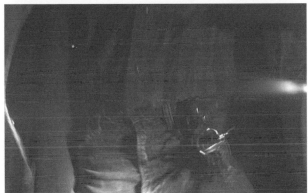

2.

3.

Procédé technique 37 : bruitage expressif (diégétique) – monde extérieur

Bien que le bruitage diégétique expressif ne soit que le décalque sonore pur et simple de la scène filmée, il a été retravaillé en studio en vue de produire un effet dramatique. L'exemple qui suit est emprunté au film des frères Coen *Barton Fink*.

Exemple cinématographique : *Barton Fink*

Barton attend de se faire enregistrer dans un hôtel minable de Los Angeles ; il frappe sur la sonnette, le comptoir de la réception est désert. Barton scrute le hall dans l'attente que quelqu'un se manifeste. Chet, le chasseur de l'hôtel, surgit d'une trappe derrière le comptoir de la réception. La sonnette continue de résonner de façon étrange. Sans y prêter attention, Chet finit par poser ses doigts dégoûtants sur le haut de la sonnette et la réduit au silence.

Dans cet exemple, le bruit de la sonnette ajoute à l'étrangeté de l'hôtel et extériorise le malaise de Barton aux prises avec sa nouvelle situation. Et comme le spectateur n'est pas en mesure de fournir une explication au tintement de la cloche, il partage l'angoisse du héros.

Exemple cinématographique : *Barton Fink*

Un peu plus loin dans le film, les frères Coen utilisent de nouveau ce procédé en s'attachant, cette fois, au bourdonnement d'un moustique. Lorsque Barton entre dans sa chambre d'hôtel, il entend un bourdonnement. Le bruit, d'abord naturel, ne tarde pas à se transformer : le bourdonnement se fait entendre puis disparaît progressivement, comme si le moustique était programmé. Au fur et à mesure que la scène avance, le moustique semble se moquer du héros.

Valeur dramaturgique

Le tintement étrange de la cloche et le bourdonnement du moustique nous font craindre pour Barton. En reliant certains indices sonores, le spectateur commence à extrapoler et à se demander quelles « mauvaises choses » vont arriver au héros.

Autres films

- *ET*
- *Apocalypse Now*
- *Psychose*
- *Single White Female*

Barton Fink (1991)

Scénario : Joel et Ethan Coen, 19 février 1990.

Séquence du tintement de la sonnette

```
Barton se dirige vers la réception.
```

CONTRE-CHAMP

```
Barton s'arrête au comptoir de la réception, qui est vide. Il
frappe sur une petite sonnette en argent qui se trouve à côté
du registre. Le tintement continue de résonner sans perdre de
puissance.

Après un long moment, on perçoit un bruit de pas précipités
dans un escalier. Barton, perplexe, regarde dans le hall vide,
puis vers le sol derrière le comptoir de la réception.
```

UNE TRAPPE

```
La trappe s'ouvre et un jeune homme en uniforme marron délavé,
portant une brosse à chaussures et une chaussure — qui ne lui
appartient pas — sort de la cave.

Il referme la trappe, se dirige vers le comptoir et colle un
doigt sur la petite sonnette d'argent, arrêtant enfin le
tintement.
Le hall redevient silencieux.
```

Séquence du moustique

PDV DE BARTON

```
Un plafond nu, écaillé.

Le bourdonnement — d'un moustique peut-être — s'arrête.
```

BARTON

```
Il suit des yeux la source du bourdonnement. Après un moment de
silence, il ferme les yeux.

Après un autre moment de silence, nous entendons — mais de façon
étouffée, venant probablement d'une chambre contiguë — un rire
bref, qui se meurt. C'est soupiré et las, presque un sanglot.

De nouveau le silence.

Nous entendons le bourdonnement du moustique s'élever.
```

1.

2.

3.

Procédé technique 38 : bruitage surréaliste (méta-diégétique) – monde intérieur

Est méta-diégétique tout son ou bruit qui exprime le monde intérieur d'un personnage, comme ses cauchemars, ses rêves, ses hallucinations, ses désirs, etc. Dans cette séquence, tirée de *Barton Fink*, le héros transfère un souhait intime sur une scène représentée sur une carte postale.

Exemple cinématographique : *Barton Fink*

Barton entre prudemment dans sa chambre d'hôtel. Son angoisse s'est déjà manifestée avec Chet, lorsqu'il a signé le registre au pied des escaliers. Comme il passe la porte, son angoisse augmente. Tout dans la chambre, comme dans le hall, semble hors d'usage. Le lit grince bien plus fort qu'il ne s'y attendait, les fenêtres ne s'ouvrent pas, et du papier peint suinte un sirop gluant, presque vivant.

Barton remarque une carte postale punaisée au mur. C'est l'image type de la Californienne en maillot de bain sur une plage.

Barton regarde fixement la carte postale. Nous entendons alors les mouettes et le bruit des vagues, un peu comme si nous avions été transportés sur la plage. Par le contexte et les effets sonores, nous comprenons que le héros est en train de fantasmer sur la carte postale.

Lorsque le téléphone sonne, le son redevient normal, mettant fin au rêve éveillé.

Valeur dramaturgique

Une fois que vous avez franchi le seuil du réalisme et accepté que les effets sonores ne soient pas forcément ancrés dans la réalité, vous pouvez arriver à exprimer toutes les pensées d'un personnage, et vous ouvrez grand la porte de la création. L'exemple emprunté à *Barton Fink* montre que l'image et le son ne se répondent pas nécessairement. C'est même ce décalage qui augmente l'intérêt de cette séquence, en laissant supposer que nous sommes à même de partager les pensées intimes du héros.

Barton Fink (1991)

Scénario : Joel et Ethan Coen, 19 février 1990.

Nous sommes à la fin de la séquence « Sa chambre ».

Nous faisons un panoramique vers une photo dans un cadre de
bois bon marché accroché au mur, au-dessus du bureau.

Une jolie femme en maillot de bain est assise sur la plage
sous un ciel bleu cobalt. Elle regarde une vague déferler en
protégeant d'une main ses yeux du soleil.

Le bruit de la vague se mêle au son ambiant.

BARTON

Qui regarde la photo

TRAVELLING AVANT SUR LA PHOTO

Le bruit de la vague devient plus fort. Nous entendons une
mouette crier.

L'effet sonore s'arrête net avec la sonnerie d'un téléphone.

7ᵉ partie

LA MUSIQUE

Procédé technique 39 : les paroles d'une chanson comme narrateur

Les paroles d'une chanson peuvent se substituer à la voix d'un personnage, et révéler ses pensées intimes de façon bien plus intéressante qu'une simple scène dialoguée. Elles peuvent également remplacer le narrateur et exprimer l'idée générale du film : *Apocalypse Now* en offre un exemple significatif.

Exemple cinématographique : *Apocalypse Now*

Le film commence avec une chanson des Doors, « The End ». Les Doors étant un groupe contemporain de la guerre du Vietnam, le film se trouve par là même ancré musicalement dans l'histoire. Les paroles nihilistes de cette chanson donnent immédiatement le ton : le film sera une dénonciation de la guerre, qui va s'attacher à en montrer la réalité profonde. Le fait de commencer le film par une chanson dont les paroles sont « C'est la fin » induit également l'idée que, dans un monde frappé de folie, les valeurs s'intervertissent et que l'on ne sait plus démêler le vrai du faux, le bien du mal. Cette inversion initiale est répétée de façon incessante et de différentes manières tout au long du film. Ainsi, quand nous faisons la connaissance du héros, il apparaît en gros plan la tête en bas – traduction en image de ce qu'expriment les paroles de la chanson.

Remarque sur le scénario
Les paroles de la chanson n'apparaissaient pas dans le scénario original de John Milius et Francis Ford Coppola.

Les scénaristes ne manqueront pas de remarquer que de nombreux films sont construits autour d'une chanson, même si cela présente un certain risque. En effet, toutes les chansons ne sont pas libres de droits, et il faut les acquérir avant de songer à la moindre forme d'exploitation. S'il ne s'agit que de reconstituer une ambiance musicale, il est préférable de faire composer une musique dans le genre souhaité (jazz, western, etc.).

Valeur dramaturgique

Lorsque des chansons à thème sont utilisées avec pertinence, le spectateur leur accorde une grande attention et de l'importance. Cela est encore plus vrai lorsque les chansons arrivent en début de film, c'est-à-dire à l'un des moments clefs de la construction narrative.

Autres films

- *Sea of Love*
- *Play Misty for Me*
- *Blue Velvet*
- *Miller's Crossing* (« Danny Boy »)

Apocalypse Now (1979)
Scénario : John Milius et Francis Ford Coppola.

La page qui suit est retranscrite d'après le film,
non d'après le scénario original.

Scène d'ouverture :

THE END BY THE DOORS	" LA FIN " TEXTE DES DOORS
This is the end	C'est la fin
Beautiful friend	Mon cher ami
This is the end	C'est la fin
My only friend, the end	Mon unique ami, la fin
Of our elaborate plans, the end	De nos plans échafaudés, la fin
Of everything that stands, the end	De tout ce qui dure, la fin
No safety or surprise, the end	Sans salut ni surprise, la fin
I'll never look into your eyes… again	Je ne regarderai plus dans tes yeux… plus jamais
Can you picture what will be	Peux-tu imaginer ce qui sera
So limitless and free	Infini et libre
Desperately in need… of some… stranger's hand	Désespérément à la recherche… de quelque… main étrangère
In a… desperate land	Dans une… terre désespérée
Lost in a romance… wilderness of pain	Perdu dans un amour… vierge de souffrance
And all the children are insane	Et tous les enfants sont fous
All the children are insane	Tous les enfants sont fous
Waiting for the summer rain, yeah	Dans l'attente de la pluie d'été, yeah

Procédé technique 40 : utilisation symbolique de la musique

La musique est utilisée de façon symbolique dans une séquence passionnante des *Évadés* : le moment où Red, le personnage principal, doit faire un choix décisif. Ce n'est pas le style de la musique, ni même ce que la musique signifie qui a une influence sur Red et les autres prisonniers de Shawshank : c'est l'idée même de musique.

Exemple cinématographique : *Les Évadés*

Andy Dufresne vient d'arriver à la prison de Shawshank. Il se lie bientôt d'amitié avec Red, un détenu de longue date. Contrairement aux autres prisonniers, Andy n'abandonne ni son humanité ni ses espoirs. Son attitude met Red devant un dilemme : restera-t-il tel qu'il est, marqué par la vie de la communauté, ou prendra-t-il le nouveau chemin qu'Andy lui montre ? Il est impressionné, mais il doute que la philosophie d'Andy puisse survivre à Shawshank.

Dans cette scène cruciale, les espoirs d'Andy sont exaucés. Après avoir écrit des lettres pendant cinq ans, la bibliothèque de la prison reçoit en don des centaines de disques et de livres. Pour fêter ça, il passe un disque dans la bibliothèque. Furieux contre les gardiens qui hurlent pour qu'il arrête la musique, Andy verrouille la porte et branche la sonorisation afin que la musique soit diffusée par tous les haut-parleurs de la prison. La musique concourt à rendre la décision de Red encore plus significative. Il se rend compte qu'il vient de prendre parti et qu'il ne pourra plus revenir en arrière.

Valeur dramaturgique

Dans cet exemple, l'utilisation symbolique de la musique agit comme un catalyseur. Structurellement, elle souligne le tournant du film.

Autres films

- *La Leçon de piano*
- *Out of Africa*

Les Évadés (1994)

Scénario : Frank Darabont. D'après la nouvelle *Rita Hayworth et la Rédemption de Shawshank* de Stephen King.

131. INT. POSTE DE SURVEILLANCE/BUREAU EXTÉRIEUR - JOUR (1955)

Il sort le disque de Mozart de sa pochette, le pose sur la platine, et place le bras sur son morceau préféré. Le diamant CHUINTE dans le sillon… et la MUSIQUE se fait entendre, magnifique. Andy s'enfonce dans le fauteuil de Wiley, subjugué par la beauté.

145. EXT. TERRAIN D'EXERCICES - JOUR (1955)

LA CAMÉRA FAIT UN TRAVELLING sur des groupes d'hommes, tous cloués sur place.

                    RED (voix off)
        Je n'ai aucune idée de ce que ces Italiennes ont
        chanté ce jour-là. La vérité, c'est que je ne veux
        pas le savoir. Certaines choses sont plus belles
        lorsqu'on les passe sous silence. J'aime à penser
        qu'elles chantaient quelque chose de si beau que
        cela ne peut s'exprimer par des mots, et que c'est
        pour cette raison que votre cœur souffre.

LA CAMÉRA arrive sur Red.

                    RED (voix off)
        Je vais vous dire, ces voix volaient. Plus haut et
        plus loin que n'importe quel homme qui ose rêver
        dans un endroit gris. C'était comme un bel oiseau
        battant des ailes dans notre morne petite cage,
        et qui aurait fait disparaître les murs…
        Et pendant un temps infime, tous les hommes de
        Shawshank se sont sentis libres.

(Un autre échange a lieu entre Andy et Red, quelques semaines plus tard, voir scène 150.)

1.

3.

2.

4.

Procédé technique 41 : la musique comme accessoire rémanent

Comme le montre l'exemple précédent, la musique peut être un élément de l'histoire à part entière. Dans *Out of Africa*, tout comme dans *Les Évadés*, elle vient exprimer une idée (la liberté) attachée à un personnage spécifique. Elle apparaît sous la forme d'un accessoire mobile dans *Out of Africa* – où elle intervient de façon répétitive –, et permet également de suivre l'évolution des rapports humains.

Exemple cinématographique : *Out of Africa*

Karen Dinesen, une jeune Danoise (Meryl Streep), arrive au Kenya en 1913 pour faire un mariage de convenance avec un aristocrate désargenté. Dans ce pays difficile, et malgré les péripéties du voyage, elle apporte des caisses de porcelaines de Chine et de l'argenterie afin d'aménager sa nouvelle maison.

Le mariage des Blixen bat de l'aile, et Karen tombe bientôt amoureuse de Denys, un Américain (Robert Redford). Denys lui offre un phonographe qui symbolise tout à la fois leur amitié et la liberté.

Première utilisation
Lorsque Denys lui offre le phonographe, Karen se méprend sur son geste, croyant qu'il essaie de la séduire. Légèrement offensé, Denys lui montre que, bien au contraire, ce n'est que le cadeau d'un ami à une amie (page 74).

Deuxième utilisation
Dix pages plus loin, lorsque Karen confie à un ami les difficultés de sa nouvelle vie, Denys est présent par le biais du phonographe qui diffuse doucement de la musique (page 85).

Dernière utilisation
Dans les dernières scènes du film, nous voyons que Karen a changé. Le garant de la hiérarchie des classes sociales, Dane, danse avec son amante, pieds nus sur l'herbe, sous le ciel étoilé. Elle est gravement malade. Le phonographe, cette fois, plutôt que d'exacerber ses peines inconsolables, diffuse la musique sur laquelle ils dansent (page 126).

Valeur dramaturgique
Une fois que le symbole est introduit, il peut évoquer le changement chaque fois qu'il y est fait référence.

Out of Africa (1985)
Scénario : Kurt Luedke, août 1983.

Première utilisation (pages 74-75)

EXT. DANS LA FORÊT - JOUR

Elle rentre à la maison à cheval, Ismail marchant à ses côtés,
tenant son fusil.
Une MUSIQUE triste de Mozart parvient faiblement. Perplexe, elle
tend l'oreille, pousse son cheval au trot, laissant Ismail
derrière elle.

EXT. LA TERRASSE - JOUR

La jeep de Denys, avec Kanuthia et Wasili. Il se tient sur la
terrasse, avec du champagne ; le phonographe fait retentir
la musique.

            DENYS (il baisse le son)
      J'ai pensé que vous aimeriez un peu de musique.
      J'en ai un autre.

Deuxième utilisation (page 85)

INT. SALLE À MANGER - NUIT

MUSIQUE DU PHONOGRAPHE, basse. Ils sont en tenue de soiree.
Il est rouge, en sueur. Juma enlève les assiettes.

            KAREN (joyeuse)
      Je suis bien embarrassée, maintenant.

            BERKELEY
      Denys ?...

Dernière utilisation (page 126)

EXT. LA TERRASSE - NUIT

Denys pose le phonographe sur la vieille table en pierre.
Il le remonte, le disque commence : une VALSE. Elle enlève
ses chaussures.

8ᵉ partie

LES EFFETS DE LIAISON

LES LIAISONS IMAGE ET SON

La liaison permet de passer d'un plan à un autre pour marquer la fin d'une séquence et le début d'une autre. Le montage offre au scénariste et au réalisateur la possibilité de faire passer des idées supplémentaires.

Le raccord, qui est l'une des façons de lier visuellement deux séquences, se pratique également au son.

Raccord visuel

Le raccord fait généralement référence à l'image. On peut raccorder deux plans qui ont en commun un décor, une composition, une forme, un mouvement, une valeur ou une couleur, par exemple : jetez un coup d'œil page 249, sur les incroyables raccords de *Dolores Claiborne* basés sur la similarité des formes.

Les raccords assurent la continuité de l'histoire et des plans. Un fondu enchaîné fait également fonction de liaison, en remplaçant une coupe franche.

Tuilage audio

Bien que le terme de « tuilage » n'appartienne pas au vocabulaire technique, nous l'utilisons par souci d'intelligibilité en référence au raccord visuel. Le tuilage audio ressemble beaucoup au fondu enchaîné : le son d'un plan continue de courir pendant quelque temps sur un autre plan.

Pont audio

Le pont audio est un effet différent du tuilage audio : il consiste à relier, au moyen d'un son identique, deux plans ou deux scènes différentes.

Procédés techniques

Son

42. Tuilage audio	*Sorry, wrong Number,* *Liaison fatale*
43. Pont audio par dialogue	*Citizen Kane*
44. Pont audio par trucage	*Barton Fink*

Image

45. Raccord par similarité de composition	*Single White Female*
46. Raccord dans la couleur et raccord de structure	*Citizen Kane*
47. Raccord dans le mouvement	*2001, l'odyssée de l'espace*
48. Raccord sémiotique	*Requiem for a Dream*
49. Raccord sémiotique de réponse	*Harold et Maude*
50. Raccord en fondu – long fondu enchaîné	*Titanic* (double raccord en fondu)
51. Insert dans un raccord	*Bound*

Procédé technique 42 : tuilage audio

Il y a tuilage audio lorsqu'une source sonore disparaît progressivement tandis qu'une autre apparaît. Cet effet, qui peut être utilisé entre deux séquences ou à l'intérieur d'une même scène, a connu des applications très ingénieuses. En voici deux.

Exemple cinématographique : *Sorry, wrong Number*

Dans la dernière partie du film, nous savons que Leona Stevenson (Barbara Stanwyck) est sur le point d'être assassinée. Plus en amont dans le film, nous avons vu qu'un métro passe dans un bruit d'enfer devant sa fenêtre, tous les soirs à la même heure. Lorsque le meurtrier entre dans sa chambre et approche ses mains de son cou, le métro passe en mugissant à l'heure habituelle, et couvre les hurlements de Barbara Stanwyck. Quand le métro est passé, elle est morte.

Exemple cinématographique : *Liaison fatale*

Cet effet est à peu près identique à celui qui est utilisé dans *Liaison fatale*. Un peu avant le moment capital du film, Dan (Michael Douglas) prépare du thé pour sa femme au rez-de-chaussée de la maison. Elle se remet d'un accident provoqué par Eve (Glen Close), la maîtresse de Dan, et qui a failli lui coûter la vie. Alors que la femme de Dan se fait couler un bain à l'étage, Eve apparaît soudain, un couteau à la main.

Au moment où Eve attaque la femme de Dan, la bouilloire se met à siffler. N'entendant pas les hurlements de sa femme, Dan se dirige lentement vers la bouilloire. Nous passons alors à l'étage, où sa femme se débat contre la mort.

Lorsque Dan retire finalement la bouilloire du feu, il entend du bruit, mais ne parvient pas à analyser ce qui l'a causé ni d'où il vient. Après un moment d'incertitude, il comprend enfin ce que le bruit signifie et se précipite à l'étage. Ici, le bruit qui faisait écran (la bouilloire à thé) s'est arrêté – *in extremis*.

Valeur dramaturgique

Dans ces deux films, un bruit – le sifflement d'une bouilloire, un métro bruyant – sert à couvrir un événement important : les cris liés à un meurtre ou une tentative de meurtre.

Sorry, wrong Number (1948)

Scénario : Lucille Fletcher. D'après sa pièce radiophonique
et sa pièce de théâtre.

L'extrait ci-dessous est tiré de la pièce de théâtre.

<u>Scène finale :</u>

Nous voyons, dans un coin obscur de la scène, l'ombre de la
porte qui s'ouvre.

Hurlement : La police !

L'ombre glisse rapidement sur la scène et s'avance vers le lit…
Le son de sa voix est étranglé, quand

Standardiste : Je vous passe le commissariat de police.

Le téléphone sonne. Nous entendons le bruit montant d'un train.
À la seconde sonnerie, Mme Stevenson hurle de nouveau, mais le
vrombissement du train couvre sa voix. Pendant quelques secondes
nous n'entendons rien d'autre que le bruit du train, qui finit
par s'éloigner.

La scène se poursuit.

1.

2.

Sorry, wrong Number   3.

1.

2.

Liaison fatale   3.

Procédé technique 43 : pont audio par dialogue

On parle de pont audio lorsqu'un son unique relie deux scènes différentes. Dans l'extrait ci-dessous, cet effet est obtenu au moyen d'une seule phrase de dialogue.

Exemple cinématographique : *Citizen Kane*

Dans cet exemple, le pont audio condense vingt années d'existence en une seule phrase.

Plan 1

Kane, enfant, est assis sur le plancher et ouvre ses cadeaux de Noël. Le jeune garçon regarde son tuteur, qui lui souhaite un « joyeux Noël ».

Plan 2

Nous passons ensuite à une autre image où le tuteur continue de formuler ses vœux en ajoutant « et une heureuse année ». Dans ce nouveau plan, Thatcher a maintenant vingt ans de plus.

Valeur dramaturgique

La compression du temps.

Procédé technique 44 : pont audio par trucage

Comme nous l'avons vu au chapitre précédent, le pont audio relie deux plans au moyen d'une seule source sonore.

On trouve l'une des utilisations les plus célèbres de ce procédé dans la scène d'ouverture d'*Apocalypse Now* : le bruit des pales d'un hélicoptère vient se superposer à l'image des pales d'un ventilateur. Ce pont audio simple et ingénieux, dû au célèbre ingénieur du son Walter Murch, nous plonge dans l'esprit du capitaine Willard, et nous entendons ce qu'il entend.

De façon très différente, voire totalement opposée, il y a dans *Barton Fink* un pont audio qui exprime la continuité du temps. Le bruit hors champ d'une machine à écrire nous parvient d'abord ; il est relié à sa source dans le plan suivant.

Exemple cinématographique : *Barton Fink*

Nous descendons en travelling le couloir de l'hôtel de Barton Fink.

Plan 1

Ce travelling nous fait découvrir des paires de chaussures d'homme, posées devant chaque porte. Le seul son que nous percevions, le bruit d'une machine à écrire, provient de la chambre de Barton. Le bruit des touches que l'on frappe distingue de façon efficace Barton des autres clients de l'hôtel.

Plan 2

Nous passons ensuite à l'intérieur de sa chambre, où le rythme de la frappe reste continu, suggérant le temps réel. Ce plan est le plan subjectif de Barton qui regarde les lettres s'imprimer sur le papier.

Valeur dramaturgique

Le long travelling associé au rythme incessant de la frappe laisse penser que Barton a finalement retrouvé l'inspiration pour écrire son scénario. Plutôt que de l'apprendre par un dialogue, le spectateur est poussé à se demander ce que cet effet sonore signifie. Cette séquence n'en devient que plus dramatique, et aiguise la curiosité.

Barton Fink (1991) - scène 9-10

Scénario : Joel et Ethan Coen, 19 février 1990.

TRAVELLING

Nous sommes dans le couloir du sixième étage de l'hôtel Earle,
tard dans la nuit. Une paire de chaussures est posée devant
chaque porte. Dans l'une des chambres nous entendons le faible
clac, clac, clac d'une machine à écrire.
Le son s'amplifie au fur et à mesure que le travelling
progresse.

TRÈS GROS PLAN - MACHINE À ÉCRIRE

Nous sommes tellement près du clavier que nous ne voyons
que les lettres frappées tour à tour, hors de tout contexte.

Une par une, les lettres écrivent : a-u-d-i-b-l-e. Après un court
instant, une virgule vient frapper la feuille de papier.

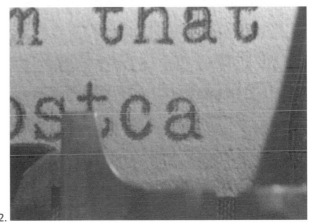

1.

2.

Procédé technique 45 : raccord par similarité de composition

Un raccord est réussi quand la fin du plan d'une séquence répond au plan d'introduction d'une nouvelle séquence. Ce point de montage peut être une simple coupe franche – c'est-à-dire un cut – ou un fondu.

Un raccord peut signaler aussi bien une ressemblance qu'une opposition. Il peut, par exemple, exprimer le sujet du film, une intention, le temps qui passe. Dans *Single White Female*, le raccord nous renseigne sur la localisation d'un appartement.

Exemple cinématographique : *Single White Female*

L'héroïne du film, Allie (Bridget Fonda), vit à New York, dans un appartement, avec son fiancé. Peu après le début du film, ils font l'amour avec violence.

Plan 1

Alors que le couple fait l'amour, nous passons au plan d'une grille en fer forgé masquant une gaine d'aération.

Plan 2

Le raccord se fait avec un plan sur une grille quasiment identique. Son dessin très spécifique nous fait présumer qu'elle se trouve dans un appartement voisin. La caméra fait alors un travelling arrière pour découvrir le voisin qui écoute la scène à travers le conduit.

Valeur dramaturgique

Avec le raccord des plans des deux grilles, la localisation du voisin se trouve immédiatement établie. Le réalisateur aurait pu passer à un plan extérieur du bâtiment, puis à un plan intérieur d'un couloir, pour raccorder finalement au plan intérieur de l'appartement, mais il aurait fallu pour cela une débauche de plans. Grâce à ce simple raccord, nous savons d'emblée que nous nous trouvons dans le même immeuble. En voyant le voisin penché pour écouter, nous en savons un peu plus sur lui, tout comme nous nous retrouvons mêlés à cette indiscrétion. Dans ce cas précis, le raccord permet une grande économie de moyens, révèle le caractère du voisin et souligne l'importance des « propos » tenus par le couple.

Remarque sur le scénario

Dans l'extrait du scénario proposé, vous verrez que l'ordre du raccord est inversé. En effet, nous passons de l'appartement du voisin à celui d'Allie. Dans le film, nous commençons par un plan sur la grille d'Allie pour passer ensuite au plan de la grille du voisin.

Single White Female (1992) - scènes 3-4

Scénario : Don Roos, version du 9 juillet 1991.

D'après le roman de John Lutz SWF seeks same.

3. INT. APPARTEMENT DE GRAHAM   CHAMBRE DE GRAHAM - NUIT

LES ÉBATS SEXUELS SONT PLUS FORTS. Nous avons déjà vu ce plan.
LA CAMÉRA DESCEND LE LONG DU MUR DE LA CHAMBRE, suit le
plancher, dépasse les chaussures, les chaussettes,
les sous-vêtements, le pyjama chiffonné, pour arriver à GRAHAM
KNOX, trente-huit ans. Il est couché. Un livre ouvert est posé
sur ses genoux ; Carmen, son chat, dort à ses pieds. Il écoute,
dans une posture inconfortable, la tête tendue vers :

UN CONDUIT D'AÉRATION

Qui fait remonter le BRUIT DES ÉBATS SEXUELS de l'appartement
du dessous...

4. INT. APPARTEMENT D'ALLIE - CHAMBRE D'ALLIE - NUIT

C'est là que ça se passe, sur la musique d'Eartha Kitt. Nous
PARTONS de la grille d'aération pour dépasser, sur le sol,
un petit ours en peluche, une lampe de chevet, une lampe
recouverte d'une écharpe en soie, pour arriver enfin au lit
où SAM RAWSON est en train de faire l'amour avec ALLIE JONES.

3.

2.

1.

Procédé technique 46 : raccord dans la couleur et raccord de structure

Tout comme un fondu, un raccord dans la couleur permet d'adoucir un changement de plan. Un bon raccord est à la fois esthétique et intéressant du point de vue de l'intrigue. Voici, tiré de *Citizen Kane*, le raccord d'une composition complexe en noir et blanc.

Exemple cinématographique : *Citizen Kane*

Cet exemple, qui se trouve à la fin de la première partie du film, joue sur plusieurs niveaux de lecture de l'histoire.

Le plan qui s'achève montre le journaliste principal, Thompson, lisant le journal de Thatcher pour y trouver des indices sur la vie de Kane.

Plan 1

Le premier plan est un plan subjectif d'une page du journal que Thomson est en train de lire. Elle est blanche, l'écriture est tracée en noir. Ce plan se raccorde avec un autre plan dont la composition visuelle est presque identique.

Plan 2

Dans le plan suivant c'est également le blanc qui domine, avec quelques petites taches noires rappelant l'écriture de Thompson.

Un examen plus attentif nous apprend que le blanc n'est rien moins que de la neige, et les petites taches noires, un enfant jouant avec une luge : comme si l'histoire racontée par l'écriture était enchâssée visuellement dans les caractères. Quand arrive le fondu enchaîné, l'histoire racontée sort littéralement de l'écriture, établissant le lien effectif des deux séquences.

Valeur dramaturgique

Ici, le raccord transforme le texte en image, laissant supposer que le dessin de l'écriture et son contenu sont naturellement associés.

Citizen Kane (1941)

Scénario : Herman J. Mankiewicz et Orson Welles.

Int. Journal de Thatcher Memorial Library - Jour - 1940

La caméra n'a pas filmé la page entière. Elle a suivi les mots comme le font les yeux quand on lit. Sur les derniers mots, la page blanche du papier.

Disparaît en fondu enchaîné sur

Ext. Pension de Mme Kane - Jour - 1870

La blancheur d'un grand champ de neige, vu depuis la fenêtre du salon. Dans la même position que les derniers mots du plan précédent, apparaît la petite silhouette de CHARLES FOSTER KANE, âgé de 5 ans (presque de la même façon que dans un dessin animé). Il jette une boule de neige vers la caméra. Elle vole vers nous et au-dessus de nos têtes, hors champ.

Contre-champ sur la maison où on peut lire sur un large panneau :

PENSION DE Mme KANE
REPAS ET CHAMBRE DE GRANDE QUALITÉ
SE RENSEIGNER À L'INTÉRIEUR

La boule de neige de CHARLES KANE s'écrase sur le panneau.

1.

2.

3.

Procédé technique 47 : raccord dans le mouvement

Un raccord dans le mouvement signifie que la transition entre deux plans est favorisée par la continuité d'un déplacement. Dans l'exemple qui suit, le raccord dans le mouvement permet de comprimer le temps.

Exemple cinématographique : *2001, l'odyssée de l'espace*

Le film s'ouvre sur une séquence spectaculaire qui décrit les différentes étapes de l'évolution de l'humanité.

Plan 1

La dernière image de la séquence montre un homme préhistorique jetant un os en l'air.

Plan 2

Le plan de l'os qui tournoie (mouvement) est raccordé avec le plan d'un vaisseau spatial qui se déplace (mouvement). Au moyen d'un seul raccord, nous passons de la préhistoire à l'ère spatiale.

Valeur dramaturgique

Compression temporelle à travers un flash-forward et un raccord dans le mouvement.

Autre film

■ *Que le spectacle commence*

Avec les raccords dans le mouvement, plusieurs danseurs apparaissent comme une seule et même personne. Chaque nouveau danseur est filmé seul sur scène, en train de passer une audition. Chaque plan présente un nouveau danseur dans le même numéro, continuant le mouvement du danseur précédent. Ici, le raccord de mouvement et dans le mouvement exprime tout à la fois le temps qui passe et le fait que les danseurs sont interchangeables.

1.

2.

3.

4.

5.

6.

Procédé technique 48 : raccord sémiotique

Lorsque la juxtaposition de deux plans apporte une idée nouvelle, on peut parler de « raccord sémiotique ».

Exemple cinématographique : *Requiem for a Dream*

Dans ce film, Sara (Ellen Burstyn), qui a la cinquantaine, passe sa vie devant la télévision. Un jour, elle croit qu'elle a été invitée à participer à une émission de télévision. Elle commence à avaler des pilules pour perdre du poids. Son médecin étant trop occupé pour la surveiller étroitement, elle se retrouve dans un état d'hallucination permanente.

Plan 1

À la fin de sa première hallucination, Sara marche vers la caméra et finit par être cadrée en gros plan. L'objectif fish-eye déforme son visage. Le plan dure quelques instants, puis nous raccordons à un plan de Tyrone, un jeune drogué, ami du fils de Sara.

Plan 2

Le gros plan de Tyrone ne subit aucune déformation. Il est debout derrière les barreaux d'une prison.

Valeur dramaturgique

Ce raccord permet de penser que Sara et Tyrone sont unis dans la drogue, chacun dans sa prison. Inconsciemment, nous associons les barreaux de la prison aux deux personnages. La juxtaposition des deux plans induit un sens nouveau.

Autre film

- *Klute*

Procédé technique 49 : raccord sémiotique de réponse

Comme nous l'avons vu dans l'exemple précédent, il y a « raccord sémiotique » lorsque la juxtaposition de deux plans amène non pas la seule addition des sens dont ils sont porteurs, mais bien leur multiplication. Dans ce nouvel exemple, le raccord apporte une réponse visuelle à une question précise.

Exemple cinématographique : *Harold et Maude*

Harold est un jeune homme qui essaie de se libérer du carcan familial. Après plusieurs tentatives de suicide, il est envoyé chez un psychiatre.

Plan 1 (voir l'extrait du scénario)
Le « raccord sémiotique » vient en réponse à la question posée par le psychiatre : « Que penses-tu de ta mère? »

Plan 2 (voir l'extrait du scénario)
La réponse arrive sous la forme du plan d'insert d'une énorme boule métallique servant à démolir de vieilles constructions.

Remarque sur le scénario
Dans le film, c'est Maude et non le psychiatre qui pose la question, et le plan d'insert lui répond.

Valeur dramaturgique
Le spectateur se forge sa propre idée à travers la juxtaposition des plans. Plutôt que d'apprendre le ressenti d'Harold par les dialogues, sa réponse arrive sous forme de métaphore visuelle.

Harold et Maude (1971)

Scénario : Colin Higgins, 1971.

```
12. INT. BUREAU DU PSYCHIATRE - JOUR

----

Harold est allongé sur un divan, complètement détendu.
Le PSYCHIATRE, qui l'est un peu moins, est assis à côté de lui.

                        PSYCHIATRE
                        ---
                Que penses-tu de ta mère ?

13. INSERT - IMAGE D'ARCHIVES

Un énorme boulet d'acier sur une grue de démolition s'écrase
dans un mur de briques et le fait tomber dans un grand fracas
au milieu de la poussière.
```

1.

2.

3.

4.

Procédé technique 50 : raccord en fondu – long fondu enchaîné

Un raccord peut se faire au moyen d'une coupe franche ou d'un fondu. Le fondu enchaîné fait disparaître peu à peu une image, tandis qu'une autre apparaît progressivement. Ce procédé donne une certaine douceur à la transition.

Exemple cinématographique : *Titanic*

Au moyen d'un « double raccord en fondu » fascinant, le réalisateur James Cameron nous fait passer du portrait au fusain de Rose, l'héroïne (Kate Winslet), à un gros plan d'elle en chair et en os.

Puis, en partant d'un gros plan sur ses yeux, Cameron commence une autre succession de raccords en fondu. À travers ce nouvel enchaînement de fondus, la jeune femme de 20 ans qu'elle était devient une vieille femme.

Valeur dramaturgique
Les longs fondus enchaînés adoucissent les coupes entre les plans, masquant les trucages du vieillissement et de la transition temporelle.

Remarque sur le scénario
Dans le scénario, les deux fondus sont séparés, alors que dans le film ils sont collés bout à bout.

Titanic (1997)

Scénario : James Cameron, 7 mai 1996. Version révisée.

Cal vient juste de donner à Rose le diamant « Le cœur de mer » ;
nous sommes au milieu de la scène.

```
67. INT. CHAMBRE DE ROSE - NUIT

---

Il contemple leur reflet dans le miroir.

                    CAL
        C'est pour les rois. Et nous sommes des rois.

Ses doigts caressent son cou et sa gorge. Il semble être
désarmé par la beauté et l'élégance de Rose. Pour la première
fois, il laisse transparaître son émotion.

                    CAL
        Il n'y a rien que je ne pourrais te donner.
        Il n'y a rien que je pourrais te refuser si tu te
        refusais à moi. Ouvre-moi ton cœur, Rose.

LA CAMÉRA commence un TRAVELLING AVANT SUR ROSE. Elle s'avance
de plus en plus près pendant le dialogue qui suit :

                    ROSE VIEILLIE (voix off)
        Son cadeau, bien sûr, ne servait qu'à le mettre en
        valeur, à mettre en lumière Caledon Hockley,
        la générosité incarnée. C'était une pierre froide…
        Un cœur de glace.

Quand les yeux de Rose EMPLISSENT finalement tout l'écran, par
MORPHING, NOUS PASSONS LENTEMENT aux yeux qu'elle a aujourd'hui…
après quatre-vingt-quatre années.

                    TRANSITION

68. SALLE DE RÉGIE VIDÉO DU KELDYSH

Sans une coupe, le travail du temps et les rides sont apparus
autour de ses yeux. Mais son regard est resté le même.

                    ROSE VIEILLIE
        Après toutes ces années, je le sens aussi près de
        mon cou qu'un collier de chien.

LA CAMÉRA FAIT UN TRAVELLING ARRIÈRE pour découvrir son visage
entier.
```

Procédé technique 51 : insert dans un raccord

Lorsqu'un plan d'insert s'immisce dans un raccord, on peut parler d'insert dans un raccord. Le plan d'insert est un moyen intéressant pour réduire l'association d'idées générée par le raccord. Et, lorsqu'il s'apparie visuellement au raccord, le spectateur continue de faire le lien avec les deux plans raccordés.

Exemple cinématographique : *Bound*

Corky (Gina Gershon), qui vient de sortir de prison, a repris une activité honnête en tant qu'intendante dans un immeuble privé. Dans l'ascenseur, elle fait la connaissance de Violet (Jennifer Tilly), qui vit avec un truand dans l'appartement voisin, et elle est immédiatement attirée par elle.

Quelques heures plus tard, alors que Corky fait des travaux de plomberie, elle entend les cris d'un homme provenant de l'appartement du truand. Voici comment le plan d'insert est monté dans le film.

Plan 1

Corky est en train de bricoler dans son appartement. Elle entend un homme crier. Elle regarde fixement la cuvette des toilettes, comme si le bruit remontait par la cuvette.

Plan 2

Insert de Corky qui écoute. Elle regarde de nouveau dans la cuvette.

Plan 3

L'eau commence à bouger à l'intérieur de la cuvette. Soudain, des gouttelettes de sang apparaissent à la surface.

Le troisième plan semble être tourné dans l'appartement de Corky, alors que la scène se passe en réalité dans la salle de bains du truand. On passe alors à un plan plus large où l'on voit un homme penché au-dessus de la cuvette, en train de se faire frapper violemment.

Valeur dramaturgique

Comme dans le raccord de *Single White Female*, nous passons ici d'un lieu à un autre. Cet insert a également pour fonction de nous préparer à une scène violente. Le sang qui tombe dans les toilettes nous désoriente quelques instants, et le plan large répond à nos interrogations.

Remarque sur le scénario

Dans le film, la réaction de Corky vient en insert, alors que dans le scénario il est fait mention d'un raccord parfait.

Autre film

- *Single White Female*

Bound (1996)

Scénario : Larry et Andy Wachowski. 1re version, 28 septembre 1994.

Nous passons directement à la fin de la séquence.

INT. SALLE DE BAINS

Nous commençons par un gros plan de Corky qui, à l'écoute de
chaque bruit sourd, regarde quelque chose qui l'intrigue.

VOIX EN COLÈRE
Espèce de merde ! Espèce de grosse merde !

À chaque bruit sourd, l'eau de la cuvette tremble comme une
cymbale. Comme nous nous rapprochons de la cuvette, l'intensité
des bruits augmente jusqu'au :

RACCORD SUR :

INT. SALLE DE BAINS DE CAESAR

Le sang éclabousse la cuvette, de grosses gouttes tombent dans
l'eau et se répandent comme des champignons atomiques inversés.

VOIX EN COLÈRE
Ça fait mal ? Bonne nouvelle, connard ! Je viens
juste de commencer.

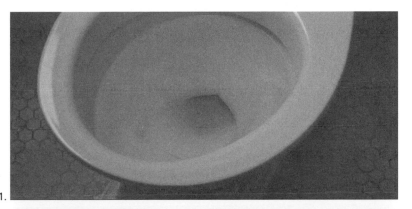

1.

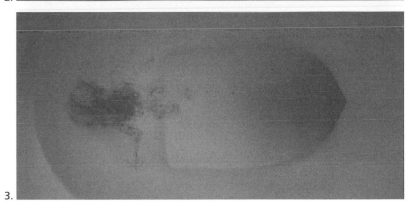

2.

3.

9e partie

LES OPTIQUES

Procédé technique 52 : grand angulaire et plans simultanés

Une des propriétés d'un objectif grand angle est d'offrir une grande profondeur de champ : cela signifie que tous les objets, du premier plan à l'arrière-plan, en passant par le plan intermédiaire, peuvent être nets simultanément. L'action peut ainsi se dérouler en profondeur. Dans la séquence suivante, tirée de *Citizen Kane*, l'action se déroule sur trois plans horizontaux distincts, et chacun d'eux peut être vu de façon claire, et simultanément, par le spectateur.

Exemple cinématographique : *Citizen Kane*

Lors du premier flash-back du film, tous les personnages sont situés le long de l'axe Z, sur des plans horizontaux différents.

Les trois plans

1. Au premier plan, à l'intérieur de la pension, la mère de Kane signe la mise sous tutelle de son fils.
2. Au deuxième plan, le père regarde, en colère.
3. À l'arrière-plan, à l'extérieur de la pension, Kane joue dans la neige, complètement à l'écart de la décision qui vient d'être prise.

Valeur dramaturgique

Grâce à la profondeur de champ donnée par l'objectif, chacun des personnages se tient sur son propre plan horizontal et peut évoluer en profondeur. Le spectateur peut ainsi voir les réactions de chaque personnage simultanément et dans le cours normal du temps.

Remarque sur le scénario

Bien que la disposition des personnages soit légèrement différente, dans le film, de celle qui est décrite dans le scénario, les scénaristes pourront s'intéresser à la description du mouvement de la caméra.

Citizen Kane (1941)

Scénario : Herman J. Mankiewicz et Orson Welles.

INT. SALON PENSION DE MME KANE - JOUR - 1870

La caméra est en train de filmer par la fenêtre, mais le cadre
de la fenêtre n'apparaît pas à l'image. Nous voyons seulement
le champ de neige, filmé sous le même angle que dans la scène
précédente. Charles est en train de faire une autre boule de
neige.

La caméra se retire en travelling, faisant apparaître le cadre
de la fenêtre et le salon de la pension où nous nous trouvons.
Mme Kane, âgée de 28 ans environ, regarde son fils. Nous la
prenons juste au moment où elle parle :

   MME KANE (s'adressant à l'extérieur)
   Fais attention, Charles !

    VOIX DE THATCHER
 Mme Kane…

   MME KANE (appelant par la fenêtre)
 Charles ! Mets-toi ton écharpe autour du cou !

Mais Charles, débordant de joie dans la neige, n'écoute pas
ses conseils et s'enfuit en courant. Mme Kane se tourne vers
la caméra et nous voyons son visage — un visage à la fois
robuste, las et aimable.

    VOIX DE THATCHER
  Je pense qu'il faut le lui dire, maintenant…

La caméra se retire plus loin en travelling, découvrant
Thatcher qui se tient devant une table sur laquelle se trouvent son chapeau haut de forme
et un grand nombre de papiers officiels. Il a 26 ans et, comme on pouvait s'y attendre, est
un peu collet monté, avec des vêtements un peu trop coûteux et vieux jeu, même pour le
Colorado.

     MME KANE
  Je vais signer ces papiers…

     M. KANE
 Vous semblez oublier tous les deux que je suis le père de cet enfant.

Au son de la voix du père, tous les deux ont tourné la tête vers lui, et la caméra s'est
retirée encore plus loin en travelling pour le faire entrer dans le champ.

Le père, qui est co-gérant d'une écurie, a été averti de cet entretien au petit matin avec
toute l'élégance que l'on peut supposer.

À l'extérieur, derrière la fenêtre, on entend vaguement les cris sauvages et joyeux
de l'enfant, qui cabriole dans la neige.

Procédé technique 53 : grand angulaire et scènes d'extérieur — paysages et plans d'ensemble

Le grand angulaire permet de donner aux scènes d'intérieur une grande profondeur de champ ; en outre, il est adapté aux plans d'ensemble. Il offre la possibilité de réaliser de larges plans de paysages, ce qui en fait un outil inestimable pour filmer les scènes d'extérieur.

Dans *La Leçon de piano*, Jane Campion utilise le grand angulaire pour filmer le littoral de la Nouvelle-Zélande. Dans de nombreuses autres séquences, la réalisatrice exploite les diverses possibilités narratives de l' objectif.

Jane Campion montre l'évolution des rapports entre les personnages en les plaçant dans un plan d'ensemble aussi large que possible. Le grand angulaire sert ainsi non seulement à filmer le paysage, mais également à faire progresser l'intrigue.

Exemple cinématographique : *La Leçon de piano*

Dans cette séquence, Ada, l'héroïne (Holly Hunter), a persuadé un habitant de la région (Harvey Keitel) de l'emmener sur la plage où se trouve son piano. La première fois que nous voyons les deux personnages sur la plage, Harvey Keitel occupe la partie gauche du cadre, et Holly Hunter la droite. Le plan large du paysage permet de mettre une grande distance entre eux, et reflète ainsi l'état de leur relation. Cependant, vers la fin de la séquence, nous comprenons que leurs rapports ont évolué. Il s'avance vers elle, comblant à chaque pas le fossé qui les sépare.

Valeur dramaturgique

En codifiant la distance qui sépare les deux personnages, le grand angulaire traduit visuellement l'évolution de leurs sentiments.

La Leçon de piano (1993) - scènes 29-30

Scénario : Jane Campion. 4ᵉ version, 1991.

Sc. 29 EXT. PLAGE JOUR

Le ciel est bleu, avec de longues traînes de nuages.

Un petit groupe de trois personnes se détache sur l'étendue
de la plage où le piano se trouve toujours. Il n'est pas resté
sans visiteur. Il y a des traces de pas sur le sable et
quelques planches ont été retirées.

ADA dépasse BAINES, marchant précipitamment vers le piano.
Bientôt, ADA a enlevé suffisamment de planches pour pouvoir
retirer le couvercle et frapper sur les touches. BAINES reste
en arrière. ADA prend un grand plaisir à sentir à nouveau ses
doigts courir sur les touches. Tout son être est transformé.
Elle est pleine de vie, joyeuse.

Plus bas, sur le sable mouillé, FLORA improvise une danse
sauvage en se faisant une perruque avec des algues. Elle
parcourt la plage en roulant sur le sable.

BAINES les regarde avec méfiance, mais il est attiré de façon
magnétique par ce spectacle. Il n'a jamais vu de femmes se
conduire avec un tel abandon. Son attention se porte sur le jeu
plein et sentimental d'ADA, et au fur et à mesure qu'il
regarde, il sent qu'il se rapproche irrésistiblement.

Sc. 30 EXT PLAGE FIN D'APRÈS-MIDI

Les ombres sont longues sur le sable lorsque BAINES ramasse les
planches. ADA et FLORA attaquent un duo. ADA a remarqué qu'il
se dirige vers elles avec les planches, dans l'intention
évidente de leur signifier qu'il faut partir. Son humeur
s'assombrit, elle continue à jouer obstinément alors que FLORA
s'est déjà arrêtée. Elle finit de manière abrupte. Revenue à
ses idées noires, elle remet sa cape et son bonnet. BAINES est
frappé par ce changement subit ; hypnotisé, il la regarde
remettre les planches.

1.

2.

Procédé technique 54 : téléobjectif ou longue focale

Les possibilités offertes par un téléobjectif sont inverses de celles d'un grand angulaire. Il rapproche les objets, rétrécit l'espace, écrase la perspective, réduit la profondeur de champ, aplatit les lointains pour faire apparaître les objets sur un même plan horizontal.

Alors que le grand angulaire accuse les distances et accélère les mouvements en profondeur, le téléobjectif, lui, isole le personnage dans un décor et semble figer l'action. Dans la séquence suivante, tirée du *Lauréat*, ces caractéristiques ont été utilisées pour accroître le suspense et l'incertitude.

Exemple cinématographique : *Le Lauréat*

Dans la séquence finale du film, Ben (Dustin Hoffman) entame une course contre la montre pour se rendre à l'église où sa petite amie est sur le point de se marier. Filmé à travers une longue focale, Dustin Hoffman semble faire du sur-place et courir en pure perte. Le spectateur a le sentiment qu'il n'arrivera jamais à temps.

Valeur dramaturgique

Lorsqu'un personnage se déplace vers la caméra le long de l'axe-Z, le spectateur a l'impression que son mouvement est ralenti quand il est filmé au téléobjectif, alors qu'il est accéléré quand il est filmé avec un grand angulaire.

Procédé technique 55 : fisheye ou courte focale

Les grands angulaires se caractérisent par leur courte focale. Plus la focale est courte, plus vaste est le champ et plus grande la déformation de l'image. Le fisheye – littéralement « œil de poisson » – est l'une des focales les plus courtes qui existent, et la déformation visuelle qu'elle provoque s'apparente à celle d'une image réfléchie par un miroir convexe. Le film *Requiem for a Dream* utilise les caractéristiques de cette focale pour illustrer les effets hallucinogènes de la drogue.

Exemple cinématographique : *Requiem for a Dream*

Requiem for a Dream suit la descente aux enfers de quatre drogués. Sara (Ellen Burstyn) est une quinquagénaire qui se gave de pilules pour maigrir dans l'espoir de passer à la télévision. Dans sa petite vie étriquée, la télévision tient une place majeure, et passer sur le petit écran apparaît comme le but ultime de l'existence.

1re hallucination (devant la télévision)

La première crise hallucinogène de Sara survient alors qu'elle regarde la télévision : elle s'imagine être l'invitée du jeu télévisé. Au moment où son hallucination commence, la focale passe du grand angulaire au fisheye.

L'aberration visuelle provoquée par le fisheye extériorise le trouble intime de Sara. Mais ce qui est remarquable, c'est que la distorsion du fisheye imite celle du tube cathodique, comme si l'héroïne vivait à l'intérieur du poste de télévision et regardait le monde à travers l'écran déformé.

Quelques séquences plus loin, Sara se rend chez son médecin pour lui demander de l'aide.

2e hallucination (dans le cabinet du médecin)

Cette scène est entièrement filmée au fisheye. Sara voit maintenant le monde entier à travers la déformation du poste de télévision. Elle tente de revenir à la normale, mais le médecin ne fait que renouveler son ordonnance et augmenter le nombre des médicaments qui sont à l'origine de ses hallucinations.

Dans la dernière séquence, sa métamorphose est achevée, et elle ne se bat plus contre ses hallucinations. Elle vit à l'intérieur d'un rêve télévisé et se trouve, définitivement, heureuse.

Valeur dramaturgique

La distorsion visuelle du fisheye imite l'écran de télévision, référence centrale de la vie du personnage. L'emploi de cette focale donne plus d'épaisseur à cette histoire, où le modèle télévisuel donne forme à l'hallucination.

Autre film

■ *In Cold Blood*

1.

4.

2.

5.

Sara Goldfarb, Brooklyn, NY

3.

6.

141

Procédé technique 56 : supports ou accessoires optiques à l'intérieur d'un plan

Une focale étend ses caractéristiques techniques au plan tout entier. Il y a, cependant, des moyens pour jouer sur plusieurs focales à l'intérieur d'un même plan. Il suffit de prendre appui sur des objets dont la réflexion offre des caractéristiques différentes de celles de la focale utilisée. Ces objets, qui agissent sur une partie de l'image, nous les appelons des « supports optiques ». Une scène célèbre de *Citizen Kane* utilise un tel « support ».

Exemple cinématographique : *Citizen Kane*

Lorsque Charles Kane meurt, dans les premières scènes du prologue, il laisse tomber un gadget pour enfants, une petite boule de verre. La boule s'écrase au sol, mais un gros morceau de verre reste intact. La réflexion du morceau de verre crée une seconde focale dans l'image, et plus précisément un fisheye. Au plan suivant, le fisheye occupe les deux tiers inférieurs de l'image, le dernier tiers gardant les caractéristiques de la focale utilisée, un grand angulaire qui, en comparaison, offre une distorsion moindre. Le fisheye nous renvoie l'image de l'infirmière qui entre dans la chambre (remarquez les lignes déformées du chambranle de la porte).

Valeur dramaturgique

La boule de verre est le dernier objet que Kane voit avant de mourir, et l'image est déformée. Kane ferme les yeux au moment où il laisse tomber la boule, comme s'il avait voulu y mettre ses derniers moments de conscience, comme s'il collait le bruit des pas de l'infirmière sur l'image aberrante qu'il vient de découvrir. Ce « support optique » réfléchit les dernières images que Kane a dû voir avant de mourir.

Citizen Kane (1941)

Scénario : Herman J. Mankiewicz et Orson Welles.

INT. CHAMBRE DE KANE - PETIT MATIN - 1940

Une scène de neige. Une scène incroyable. Avec des flocons
de neige énormes, irréels, un bonhomme de neige et une ferme
exagérément pittoresque. Le tintement des clochettes de traîneau
repris dans la musique du film est une référence ironique
aux gongs d'un temple indien — la musique s'arrête net.

TRÈS VIEILLE VOIX DE KANE

Rosebud...

La caméra recule en travelling, découvrant la totalité de
la scène contenue dans une de ces boules de verre qui se
vendent partout dans le monde. Une main — celle de Kane, qui
tenait la boule — se relâche. La caméra suit la boule qui tombe
de sa main et rebondit sur les deux marches couvertes de tapis
qui mènent au lit. La boule rebondit sur la dernière marche et
tombe sur le sol de marbre, où elle s'écrase, les morceaux de
verre faisant miroiter les premiers rayons du matin. Le rayon
de soleil dessine sur le sol un motif anguleux, avec des
milliers de traits de lumière provenant de la fenêtre,
plus éblouissants les uns que les autres.

Le pied du lit de Kane. La caméra est très près. On peut voir
une silhouette qui se détache sur la fenêtre fermée : celle
d'une infirmière qui remonte le drap sur la tête de Kane.
La caméra suit l'action en montant à la hauteur du lit et
ne parvient au visage qu'une fois que le drap l'a recouvert.

Procédé technique 57 : les objets formant filtre

Lorsqu'une caméra filme à travers des vitraux, de l'eau ou du plastique, ces « objets » modifient la qualité intrinsèque de l'image et permettent des effets intéressants. En voici un exemple, tiré du film *Danse avec les loups*.

Exemple cinématographique : *Danse avec les loups*

Nous sommes en 1862. Le lieutenant John J. Dunbar vient d'arriver à Fort Sedgewick pour voir le tracé de la frontière avant qu'il ne soit changé. Il y fait la connaissance du major Fambrough, qui a déjà sombré dans la folie.

Après une entrevue étrange avec le major, Dunbar sort du bureau pour poursuivre son voyage. Le major, resté à l'intérieur, regarde par la fenêtre et lève son verre à la santé de Dunbar. Nous passons alors au plan subjectif du major.

Ce plan subjectif est superbe : le major regarde à travers des carreaux épais et glauques comme il en existait à l'époque. Cette déformation donne une touche historique mais traduit surtout l'altération du sens de la réalité du major. Il se tirera une balle de revolver dans la tête quelques instants plus tard.

Valeur dramaturgique

Le plan exprime la personnalité du major et annonce les événements futurs. Ces épais carreaux de verre ont une triple fonction : ils portent les péripéties de la séquence, révèlent subrepticement le personnage et ancrent historiquement la scène.

Autres films

- *Three Women* (le plan filmé à travers un aquarium)
- *Bound* (le plan filmé à travers un judas)

1.

2.

3.

4.

5.

6.

10ᵉ partie

L'ÉCHELLE DES PLANS

Procédé technique 58 : Gros plan (GP)

La valeur d'un plan est déterminée à la fois par l'axe optique de la caméra, le mouvement de l'appareil – ou sa fixité – et l'échelle relative du cadre. Par échelle de plans, il faut donc entendre la taille du plan par rapport aux personnages ou au décor. Ce rapport de proportions entre le sujet ou l'objet filmé et le cadre détermine une échelle de cadrage, qui va du plus large au plus serré. Un gros plan (GP) cadre le visage d'un personnage jusqu'à la naissance du cou. Un « très gros plan » (TGP) est un plan encore plus serré, qui ne cadre qu'une partie du visage – les yeux ou les lèvres, par exemple. Le gros plan fait plus volontiers référence à une personne, tandis que le « plan de détail » s'attache généralement aux objets.

Exemple cinématographique : *La Leçon de piano*

Dans ce film, Jane Campion multiplie les gros plans dramatiques sur l'héroïne. Dans le premier gros plan du film, qui dure un peu plus de vingt secondes, la réalisatrice ajoute un mouvement d'appareil.

Filmé contre des nuages sombres qui défilent, le gros plan prend un caractère surnaturel. La caméra se déplace autour du personnage tout en le maintenant en gros plan. Il en résulte un effet singulier : Ada reste immobile tandis que le ciel derrière elle se déplace à vitesse constante, alors que l'on s'attendrait plutôt à ce que le personnage bouge devant un arrière-plan qui reste fixe.

En allant contre nos attentes, Jane Campion donne une métaphore visuelle du tourment intime du personnage.

Regardez maintenant le quatrième photogramme ci-contre. Là encore, l'intimité que crée le gros plan nous fait ressentir de la sympathie pour l'héroïne.

Jane Campion confère un surcroît d'émotion au plan en s'aidant de la nature, comme dans le plan précédent, où elle s'assurait le concours d'un ciel orageux. Elle utilise ici les traînées des gouttes de pluie pour enrichir la signification de son plan. Le mouvement naturel de ces éléments s'oppose directement au regard fixe d'Ada. Cette juxtaposition souligne la manière dont l'héroïne enfouit profondément ses émotions, même lorsqu'on ne la regarde pas.

Valeur dramaturgique

Le gros plan donne une proximité physique et établit une relation d'intimité avec le sujet filmé. Plus nous sommes près d'un personnage, plus nous éprouvons de sympathie pour lui. Le gros plan peut également provoquer la peur ou le dégoût du spectateur, contraint de rester en compagnie d'un personnage pour lequel il éprouve déjà de la haine : le spectateur n'aura alors qu'une hâte, échapper à cette contrainte (voir le procédé technique n° 62, page 156).

1.

2.

3.

4.

Procédé technique 59 : très gros plan (TGP) ou plan de détail

Toutes les focales, du grand angulaire au téléobjectif, permettent de réaliser un gros plan ou plan de détail ; chacune a ses caractéristiques visuelles propres.

En faisant apparaître un objet plus gros qu'il n'est en réalité, le gros plan dramatise l'image. Dans l'exemple qui suit, Quentin Tarantino utilise un TGP pour mettre en relief les moments clefs de l'action.

Exemple cinématographique : *Kill Bill vol. I*

Black Mamba (Uma Thurman) est tombée dans le coma après avoir reçu une balle dans la tête. Par un étrange coup du sort, une piqûre de moustique la ramène à la conscience.

Pour présenter la piqûre qui fait basculer la vie de l'héroïne, Tarantino filme en très gros plan la scène d'introduction, avec la piqûre du moustique, ainsi que le flash-back qui suit.

Valeur dramaturgique

Le gros plan nous montre de façon inattendue les objets ou les êtres que nous avons l'habitude de voir, les imposant par là même à notre mémoire, et permet de mettre en relief une scène qui, pour des raisons dramatiques, doit être détachée des autres scènes du film.

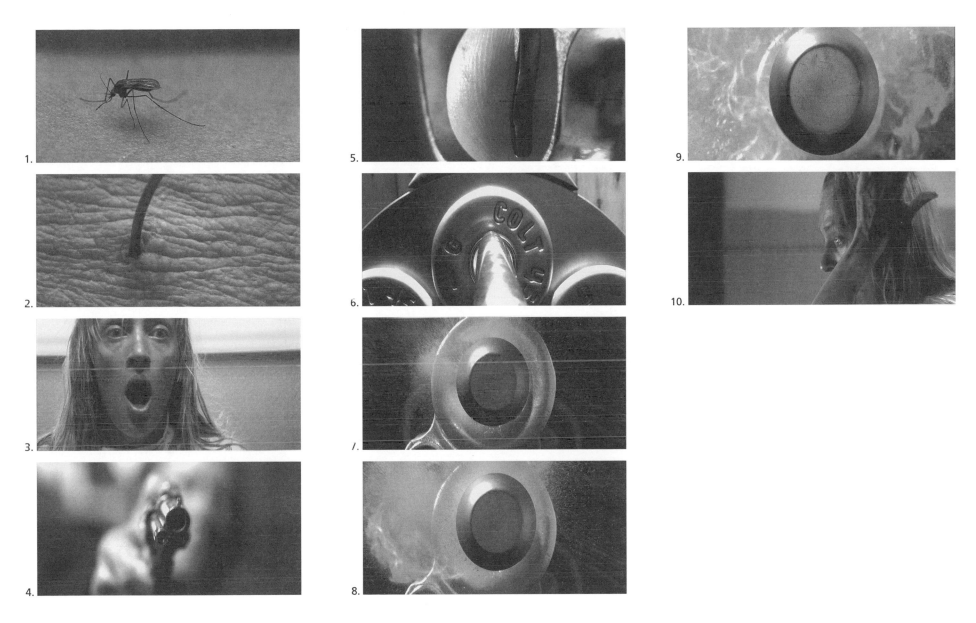

Procédé technique 60 : plan à deux

Un plan où deux personnages sont filmés ensemble est appelé un plan à deux. Les personnages sont habituellement cadrés à mi-poitrine. Selon le contexte, le plan à deux peut traduire l'harmonie ou le désaccord. Dans les exemples ci-dessous, tirés de *La Leçon de piano*, la réalisatrice oppose des plans à deux pour approfondir notre connaissance du caractère des personnages.

Exemple cinématographique : *La Leçon de piano*

Ada (Holly Hunter) vient d'arriver de Nouvelle-Zélande pour faire un mariage de convenance. Sa fille l'accompagne ; toutes deux vivent en symbiose. Cette relation est d'autant plus marquée que Holly Hunter est muette et que sa fille parle pour elle.

Plan à deux équilibré

Jane Campion exploite la structure d'un plan à deux pour montrer l'harmonie qui règne entre deux personnes. Quand la mère et la fille sont présentes dans la même séquence, elles apparaissent le plus souvent dans un plan à deux équilibré, comme on peut le voir dans les photogrammes nos 1, 2 et 3 ci-contre.

Plan à deux déséquilibré

La réalisatrice utilise également un plan à deux pour filmer le mariage d'Ada (photogramme n° 4). Le contre-emploi de ce plan montre l'étendue du désac-cord qui règne au sein du couple. Tandis que la pluie ruisselle sur les jeunes mariés, Ada regarde ailleurs et son mari regarde à terre. Ce plan déséquilibré contraste du tout au tout avec celui d'Ada et de sa fille, où règne l'harmonie.

Valeur dramaturgique

En même temps que nous constatons le désaccord physique qui transparaît sur la photo de mariage, nous faisons inconsciemment référence aux images traditionnelles des mariages réussis que nous avons en mémoire. Le caractère du personnage se révèle par le truchement des comparaisons.

La Leçon de piano (1993) - scène 38

Scénario : Jane Campion. 4e version. L'extrait se réfère aux photogrammes nos 1 et 2.

Sc. 28. EXT CHEZ BAINES JOUR

C'est beaucoup plus tard que BAINES sort de sa cabane avec une selle sous le bras. Les deux femmes sont toujours là. Ada le regarde en ayant l'air d'attendre quelque chose.

FLORA singe son expression.

                    BAINES
        Je… ne peux pas… vous… garder ici. Je ne peux pas.

Il pose la selle sur une balustrade. Il selle le cheval, jetant des regards furtifs par-dessous le cheval et autour de lui. Elles le regardent attentivement, sans vraiment l'implorer mais de façon insistante.

1.

2.

3.

4.

Procédé technique 61 : plan en amorce

On parle de plan en amorce lorsqu'un personnage ou un objet est placé entre la caméra et le sujet filmé. Généralement, pour des raisons esthétiques ou dramatiques, la caméra est placée derrière l'épaule ou la tête d'un personnage qui apparaît en amorce dans le cadre, au premier plan. Le plus souvent, c'est un second personnage qui capte l'intérêt du personnage en amorce. Au lieu que deux acteurs soient filmés chacun en plan rapproché ou en plan moyen, le scénariste (et/ou le réalisateur) choisit de les avoir tous deux présents physiquement dans le plan.

Exemple cinématographique n° 1 : *Chinatown*

Dans le plan en amorce du photogramme ci-contre, Gittes (Jack Nicholson) et la femme qu'il aime (Faye Dunaway) sont pour la première fois proches physiquement. Le coup de couteau que Jack Nicholson a reçu en raison de sa détermination à résoudre une affaire les a rapprochés. Ils sont comme « mariés » à l'écran, le temps que Faye Dunaway finisse de soigner la blessure de Jack Nicholson. La tension monte à mesure qu'ils essaient de cacher l'attirance qu'ils éprouvent l'un pour l'autre.

Exemple cinématographique n° 2 : *La Leçon de piano*

Ce film comporte un magnifique plan en amorce d'Ada (Holly Hunter). L'objet de son attention est le piano qu'elle a laissé derrière elle, sur la plage. Ada et son piano partagent un plan à deux, où la distance qui les sépare est exacerbée. Ce plan souligne l'importance de son piano pour Ada et toutes les difficultés qu'elle rencontre pour le regagner.

Valeur dramaturgique

La différence entre un plan en amorce et un plan à deux réside dans le fait que, dans le plan en amorce, seul un des deux personnages nous regarde. Ainsi, dans un champ/contre-champ, la nuque des personnages peut apparaître alternativement en amorce.

Le lien physique qui apparaît à l'écran peut permettre de donner des indications sur la nature de la relation qu'entretiennent les deux personnages. En fonction des scènes qui précèdent, le plan en amorce peut suggérer la tension, l'intimité, le désir, la haine, l'emprisonnement ou la conspiration : tout dépend de l'intrigue et de la mise en scène.

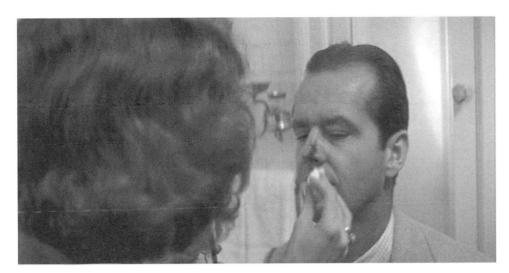

Chinatown

La Leçon de piano

Procédé technique 62 : point de vue (PDV) ou plan subjectif ou caméra subjective

Dans un PDV ou plan subjectif, le point de vue de la caméra se confond avec celui d'un personnage précis. Le spectateur voit ainsi par les yeux du personnage et partage son intimité.

Par le truchement du plan subjectif, le spectateur est également poussé à éprouver de la sympathie pour le personnage s'il est bon, et de la terreur s'il est méchant.

Dans l'exemple ci-dessous, le plan subjectif est utilisé pour susciter la peur. Dans les premières séquences *d'Halloween*, le spectateur voit dans un plan qui dure cinq minutes le plan subjectif de « quelqu'un ». Ce plan se termine par l'agression mortelle d'une jeune femme.

Exemple cinématographique : *Halloween*

Le premier personnage dont fait mention le scénario est le « PLAN SUBJECTIF DE QUELQU'UN ». Pendant cinq minutes, nous suivons le PDV, jusqu'à ce que « QUELQU'UN » agresse une jeune femme.

À la fin de la séquence, l'identité du plan subjectif se trouve être celle d'un garçon de 6 ans, Michael.

Ensuite, grâce à un flash-forward, nous sommes propulsés quinze années plus tard. Nous apprenons que le meurtrier est en liberté dans la même ville. Et dès que nous voyons le même long plan subjectif, nous présumons immédiatement que Michael, plus vieux de quinze ans, est revenu.

Valeur dramaturgique

En assimilant un personnage à un plan unique de caméra, John Carpenter a pu le projeter quinze plus tard, sans avoir besoin d'exposer une nouvelle fois son identité par le biais d'un dialogue ou d'un autre moyen visuel.

Autre film

- *ET*

Halloween (1978) - scène 3

Scénario : John Carpenter et Debra Hill.

3. EXT./INT. MAISON DE MYERS - NUIT - PLAN SUBJECTIF (PANAGLIDE)

C'est la nuit. Le PLAN SUBJECTIF DE QUELQU'UN se déplace vers
l'arrière d'une maison. LA CAMÉRA MONTE jusqu'à une citrouille
transformée en lanterne d'Halloween, placée sur le rebord d'une
fenêtre. Le vent souffle, et les rideaux qui entourent la lanterne
s'agitent d'avant en arrière. Soudain, nous entendons des voix
provenant de l'intérieur de la maison.

> SŒUR (voix off)
> Mes parents ne seront pas de retour avant dix heures.

> LE PETIT AMI (voix off)
> Tu es sûre ?

Puis des RIRES.

Le PLAN SUBJECTIF descend de la lanterne pour aller vers une autre
fenêtre et regarder à l'intérieur. Nous découvrons la chambre de la
sœur à travers les rideaux qui se balancent.
La SŒUR, 18 ans, très jolie, entre dans la chambre. Elle GLOUSSE au
moment où son PETIT AMI saute dans la chambre. Alan, 18 ans, porte
un masque et un costume d'Halloween.

> LE PETIT AMI (voix off)
> Alors ? Nous sommes vraiment seuls ?

> SŒUR (voix off)
> Michael est quelque part par là…

Le petit ami attrape la sœur et l'embrasse.

> SŒUR (voix off)
> Enlève ça.

Le petit ami retire son masque. On voit que c'est un beau jeune
homme. Ils s'embrassent de nouveau, mais cette fois avec plus de
fougue. Le petit ami déboutonne le chemisier de la sœur. Elle se
laisse faire.

Le PLAN SUBJECTIF s'éloigne de la fenêtre d'un pas allègre, et
commence à avancer et reculer nerveusement, agité, troublé. Nous
ENTENDONS LES BRUITS de plus en plus passionnés que font la sœur et
le petit ami à l'intérieur de la chambre.

Le PLAN SUBJECTIF revient finalement à la fenêtre. Dans la chambre,
à travers les rideaux qui se balancent, nous voyons la sœur et le
petit ami couchés sur le lit, nus, en train de faire l'amour.

Le PLAN SUBJECTIF se détache d'un bond de la fenêtre et longe
rapidement la façade de la maison, dépasse la lanterne, se tourne
vers une porte. La porte est rapidement ouverte et le PLAN SUBJECTIF
entre dans la maison.

Le PLAN SUBJECTIF traverse silencieusement la maison, entre dans la
cuisine et s'élève jusqu'à un tiroir. Il ouvre le tiroir. Il en
retire un gros COUTEAU DE BOUCHER.

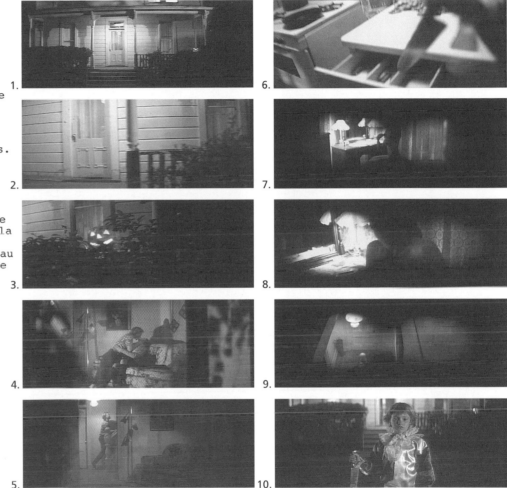

157

Procédé technique 63 : PDV jouant sur les émotions du spectateur

Comme nous l'avons vu dans l'exemple précédent, le plan subjectif traduit la vision du héros ou du méchant, et augmente de façon significative la sympathie ou la crainte que peut éprouver le spectateur.

Dans *Les Dents de la mer*, de Steven Spielberg, le plan subjectif du requin est utilisé pour nous inspirer de la peur. Voici trois exemples correspondant à cette utilisation.

Exemple cinématographique : *Les Dents de la mer*

1re partie

Dans les premières images du film, nous découvrons des plans sous-marins, à la fois simples et beaux, d'une jeune femme en train de nager. Quelques instants plus tard, nous voyons la jeune femme se faire attaquer et tuer. Nous comprenons alors que les plans initiaux étaient en fait les plans subjectifs du requin.

2e partie

Lorsqu'il arrive à la séquence 43, le spectateur a déjà assisté à une attaque de requin. Aussi, quand la caméra revient sur les mêmes lieux et filme les vacanciers en train de nager, nous commençons à éprouver une certaine appréhension.

Notre peur est décuplée quand Spielberg passe à un plan sous-marin pour épouser le plan subjectif du requin (photogramme n° 2). Nous ne considérons plus désormais les vacanciers qui nagent comme des hommes, mais de la même façon que le requin – c'est-à-dire comme de la viande. Nous remarquons à quel point ils sont proches, sans défense, et nombreux. En retournant

une nouvelle fois à un plan subjectif sous-marin, le spectateur est conduit à supposer le pire.

3e partie : dernière utilisation

Dès que nous voyons le plan sous-marin du fond du bateau de Richard Dreyfus, nous savons qu'une nouvelle attaque va avoir lieu (photogramme n° 3) : nous savons maintenant que les plans sous-marins sont les plans subjectifs du requin. Lorsque Dreyfus plonge, vous le voyez comme le requin le voit : vulnérable, petit et peu sûr de lui (photogramme n° 4). L'association répétée du PDV avec le requin aiguise nos craintes.

Valeur dramaturgique

Les PDV de Spielberg ne nous montrent pas seulement à quoi ressemblent les vacanciers, mais aussi à quoi nous ressemblons quand nous sommes sous l'eau. Ces plans nous font craindre pour les vacanciers et nous renvoient à notre propre vulnérabilité. En nous montrant la vie de tous les jours d'un point de vue inusité, les plans subjectifs changent les repères du spectateur. Étant identifié au requin lui-même, le plan subjectif nous pousse à anticiper l'attaque.

Les Dents de la mer - scène 43

Scénario : Peter Benchley et Carl Gottlieb.

Version finale. D'après le roman de Peter Benchley.

L'extrait du scénario se réfère
au photogramme n° 2.

43. EXT. SOUS L'EAU - JOUR

Plan au fisheye de vacanciers sur leurs
canots pneumatiques. Par en dessous, nous
voyons les silhouettes des plongeurs, leurs
bras et leurs jambes qui se balancent dans
l'eau.
En allant ainsi de canot en canot, nous
arrivons à un espace plus dégagé puis à un
canot isolé. Une paire de jambes et deux
bras en train de battre l'eau et de
barboter provoquent sous l'eau des
vibrations bizarres, plus fortes que celles
que l'ouïe humaine perçoit naturellement.

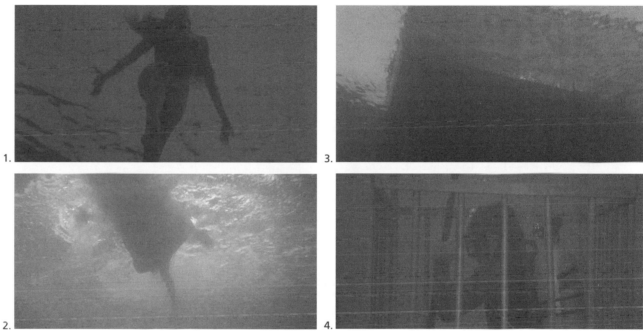

Procédé technique 64 : plan en plongée

Lorsque l'axe optique de l'objectif est incliné vers le bas, on parle de plan en plongée. Les sujets filmés ainsi paraissent petits et vulnérables.

Exemple cinématographique : *Citizen Kane*

Dans *Citizen Kane*, Thompson, un des journalistes de Rawlston, rend visite à Susan dans le bar où elle chante. Mais le spectateur n'accompagne pas Thomson en passant la porte d'entrée avec lui : la caméra glisse doucement sur le toit et plonge à travers la lucarne quelques minutes avant l'arrivée du journaliste. Cela nous donne l'occasion de partager un moment particulier. Grâce au point de vue en plongée, nous voyons une petite silhouette recroquevillée à une table, la tête posée sur ses bras ; ce personnage, qui semble faible et désespéré, nous touche.

Du plan en plongée, nous raccordons à un plan en intérieur qui poursuit le mouvement descendant jusqu'à la table où Susan est assise. Thompson entre alors et s'assied à côté d'elle. Tous deux sont présents à l'écran dans un plan en amorce où Susan se trouve face à la caméra. Elle domine le cadre, ses gestes et ses paroles traduisent la puissance que lui confère le plan (voir les photogrammes n°s 7 et 8).

Valeur dramaturgique

Le contraste induit par la succession du plan en plongée et du plan en amorce nous donne un double aperçu de la personnalité de Susan : une vue intime, qui laisse percevoir sa vulnérabilité, et une vue extérieure où elle paraît dure, cassante et pleine d'amertume. Il est intéressant de voir comment on passe de la sympathie du plan en plongée au plan suivant, où Susan aboie sur le journaliste : nous comprenons maintenant aisément pourquoi.

Citizen Kane (1941)

Scénario : Herman J. Mankiewicz et Orson Welles.

EXT. CABARET MINABLE - " EL RANCHO " - ATLANTIC CITY - NUIT - 1940

Maquette - (pluie)

La première image est une enseigne :

" EL RANCHO
SPECTACLE DE VARIÉTÉS
SUSAN ALEXANDER KANE
DEUX FOIS PAR MOIS "

Ces mots en lettres de néon brillent dans l'obscurité dès
l'ouverture du fondu au noir. Puis un éclair fait apparaître le
toit sordide auquel l'enseigne est accrochée. Un nouveau coup de
tonnerre, et nous entendons des échos de la musique du cabaret.
Une lumière brille à travers une lucarne. La caméra avance et
se rapproche de la lucarne. À travers les flaques de pluie, en
nous penchant par la lucarne, nous voyons l'intérieur du
cabaret. Juste en dessous de nous, assise à une table, se tient
la silhouette isolée d'une femme qui boit toute seule.

1.

2.

3.

4.

5.

6.

7.

8.

Procédé technique 65 : plan en contre-plongée

Lorsque l'axe optique de l'objectif est incliné vers le haut, on parle de plan en contre-plongée. Les objets filmés de cette façon apparaissent plus grands qu'ils ne le sont en réalité. Cet axe confère de la puissance au sujet, donnant l'impression qu'il domine les objets qui se trouvent en dessous. En voici deux exemples, tirés de *ET*.

Exemple cinématographique n° 1 : *ET* (les séquoias)

La première fois que nous voyons ET se promener dans la forêt, il est filmé en plongée. Il nous paraît petit et faible. Nous raccordons ensuite avec un plan en contre-plongée, qui n'est autre que le plan subjectif d'ET. Nous voyons ensuite ET regarder les séquoias qui l'entourent ; dans ce plan en contre-plongée, ET semble encore plus vulnérable que dans le plan en plongée car l'accent est mis sur la taille des séquoias, qui paraissent planer au-dessus de sa frêle silhouette.

Exemple cinématographique n° 2 : *ET* (les camions)

Deux pages plus loin dans le scénario, les ennemis d'ET arrivent. Le plan en contre-plongée traduit ici encore le plan subjectif d'ET. Les camions, filmés par en dessous, apparaissent comme de gros monstres grondants, aux lumières aveuglantes. Nous supposons qu'ET ne sait pas très bien si les camions qui arrivent sont des êtres vivants ou des robots.

Valeur dramaturgique

En contre-plongée, les séquoias et les camions acquièrent de la puissance et du poids, et contribuent à nous faire ressentir la vulnérabilité de la créature. Le fait même que ces plans soient subjectifs, et que nous voyions les séquoias et les camions comme ET les voit, c'est-à-dire énormes et menaçants, nous le rend encore plus sympathique.

Autre film

- *Citizen Kane*

ET (1982) - scène 13

Scénario : Melissa Mathison. Version révisée du 8 septembre 1981. Scénario de tournage.

13. PLAN EN PLONGÉE : LA CRÉATURE

LA CRÉATURE, guidée par son instinct, tourne et lève les yeux vers un immense sapin. La LUMIÈRE ROUGE s'en va. Il marche dans la forêt.

EXT. FORÊT - NUIT

On perçoit les BRUITS de la forêt : les oiseaux, le gazouillis des ruisseaux, le bourdonnement des insectes. LA CRÉATURE s'enfonce dans la forêt.

ET (1982) - scène 25

Scénario : Melissa Mathison. Version révisée du 8 septembre 1981. Scénario de tournage.

37. PLAN SUBJECTIF DE LA CRÉATURE : LA PORTIÈRE

La portière s'ouvre et un homme descend, filmé seulement à partir de la taille. On ne voit qu'un pantalon noir, de solides bottes et un gros trousseau de clefs qui pend à sa ceinture.

Les CLEFS font un vacarme épouvantable, couvrant tous les autres bruits de la nuit.

Procédé technique 66 : plans en plongée et en contre-plongée alternés

Nous avons vu, dans la description des deux procédés précédents, que l'inclinaison de l'axe optique génère vers le bas un plan en plongée, et vers le haut un plan en contre-plongée.

Dans *Psychose*, Hitchcock a utilisé ces deux effets en les alternant. Voici comment il a construit le suspense de cette séquence.

Exemple cinématographique : *Psychose*

Une jeune femme, Lila, en visite à l'hôtel de Bates, soupçonne que son propriétaire, Mme Bates, vit dans une maison derrière l'hôtel. Ne sachant pas ce qu'elle va y trouver, ni même quelle va être la réaction de Norman, le fils de Mme Bates, Lila grimpe l'escalier abrupt qui mène à la maison.

Plongée

Lorsque Lila monte les marches de l'escalier, elle est filmée en plongée. Le plan pourrait être le plan subjectif de quelqu'un qui se trouve dans la maison. Lila semble petite, vulnérable et *épiée*.

Contre-plongée

On passe ensuite, en raccord, au plan subjectif de Lila qui regarde la maison, imposante et menaçante. La maison semble planer au-dessus de Lila. Puis on repasse au plan subjectif de la maison, mais cette fois Lila est filmée de bien plus près – encore plus proche du danger.

Valeur dramaturgique

En alternant les deux plans, Hitchcock a construit une séquence au suspense d'autant plus effrayant que le plan en plongée semble être le plan subjectif d'un personnage invisible.

Psychose (1960)

Scénario : Joseph Stephano. Version révisée, 1er décembre 1959.

D'après le roman de Robert Bloch.

La note qui suit introduit la séquence : " LILA : LES ANGLES DE CAMÉRA prennent en compte Lila et son point de vue."

EXT. DERRIÈRE L'HÔTEL - LILA PLAN RAPPROCHÉ - (JOUR)
Derrière l'hôtel, Lila hésite. Elle regarde devant elle.

PLAN D'ENSEMBLE - (JOUR)
La vieille maison se dresse contre le ciel.

GROS PLAN - (JOUR)
Lila s'avance.

PLAN D'ENSEMBLE - (JOUR)
La CAMÉRA s'approche de la maison.

GROS PLAN - (JOUR)
Lila jette un coup d'œil vers l'arrière du salon de Norman.
Elle continue d'avancer.

PLAN D'ENSEMBLE - (JOUR)
Nous approchons de plus en plus de la maison.

GROS PLAN - (JOUR)
Lila lève les yeux vers la maison. Elle avance avec une idée derrière la tête.

PLAN DEMI-ENSEMBLE - (JOUR)
La maison et le porche.

GROS PLAN - (JOUR)
Lila s'arrête devant la maison et lève les yeux. Elle regarde derrière elle. Elle se retourne de nouveau vers la maison.

PLAN DEMI-ENSEMBLE - (JOUR)

La CAMÉRA MONTE les marches pour aller vers le porche.

GROS PLAN - (JOUR)
Lila tend le bras.

PLAN RAPPROCHÉ - (JOUR)
Lila ouvre la porte. Nous voyons le vestibule.
Lila ENTRE EN PASSANT DEVANT LA CAMÉRA.

1.

2.

3.

11e partie

LES MOUVEMENTS DE CAMÉRA

Procédé technique 67 : plan fixe

Un plan fixe est un plan tourné avec une caméra immobile, posée le plus souvent sur un trépied. Le décor étant fixe, seuls les personnages et les accessoires se déplacent à l'intérieur du cadre, comme dans une fenêtre ou sur une avant-scène de théâtre.

Exemple cinématographique : *Klute*

1er plan large fixe

Le plan d'ouverture du film de J. Pakula est un plan fixe large présentant la vision idyllique d'une famille américaine en train de déjeuner un jour de fête. Le plan est immobile, parfaitement équilibré. Remarquez la symétrie de la table de la salle à manger et des chaises, des vitres des fenêtres et des deux suspensions fleuries : elles sont de la même taille et accrochées le long de deux vitres identiques.

Au bout d'un moment, la caméra fait un panoramique de la table pour nous présenter les personnages un par un. La séquence se termine par deux plans fixes du mari et de la femme en train de se porter mutuellement un toast. Puis nous passons au plan fixe de la chaise du mari. Elle est vide.

2nd plan large fixe

Nous revenons maintenant au plan large fixe de la salle à manger du début du film. Nous nous apercevons que la scène se passe à un autre moment. Il y a peu de lumière, les enfants et les autres membres de la famille sont partis. La symétrie a également disparu. Un des personnages est debout, de dos. Un autre est assis dans un angle, face à la caméra. Il y a derrière la femme un grand espace vide qui n'existait pas dans le plan d'ouverture. Les pots de fleurs pendent, asymétriques, contre les vitres de la fenêtre.

Valeur dramaturgique

Un plan fixe se compare facilement à un autre plan fixe. Dans ces plans qui marchent par paire, la symétrie du premier nous aide à remarquer les changements qui ont été opérés dans le second : par cette simple mise en parallèle, nous savons que quelque chose de terrible vient de se passer.

Remarque sur le scénario

Vous remarquerez que le montage du film est légèrement différent de ce qui est suggéré dans l'extrait du scénario ci-contre.

Klute (1971)

Scénario : Andy et Dave Lewis, 26 juin 1970. Version définitive.

```
1. SALLE À MANGER – LA MAISON DE TOM GRUNEMANN – JOUR

GROS PLAN de TOM GRUNEMANN, jeune et séduisant cadre supérieur,
qui préside la table de la salle à manger et découpe la dinde
traditionnelle de la fête du Thanksgiving. Il y a tous les
bruits joyeux qui accompagnent une fête. La CAMÉRA FAIT UN
PANORAMIQUE autour de la table pour découvrir la famille
heureuse et les invités. Parmi eux se trouvent KLUTE et CABLE.

La caméra s'arrête sur Mme Grunemann, assise en face de son
mari, de l'autre côté de la table. Elle lui sourit. Nous
raccordons avec un plan de Tom Grunemann qui lui sourit en
retour. Nous revenons à un gros plan de Mme Grunemann qui
regarde son mari avec amour.

Nous revenons à un plan de la chaise de Tom Grunemann – vide
désormais. Les bruits joyeux disparaissent sur ce plan. Il
appert que Tom Grunemann a disparu sous nos yeux. Il était là
il y a un instant, et maintenant il a disparu. La caméra
revient en panoramique vers la table, qui n'est plus occupée
que par Mme Grunemann et ses enfants. Elle est habillée de
sombre. Elle partage avec ses trois enfants un autre repas dans
la pièce vide. De joyeuse qu'elle était, elle est tombée dans
l'affliction.
```

1.

2.

3.

4.

Procédé technique 68 : panoramique horizontal

Le panoramique horizontal est un mouvement d'appareil où la caméra, géné-ralement posée sur un trépied, pivote sur son axe, de la gauche vers la droite ou de la droite vers la gauche en suivant un plan horizontal. Le panoramique peut également être réalisé en caméra portée. Ce mouvement de caméra peut apporter de nouvelles indications de lieu, un indice important ou découvrir un personnage caché.

Exemple cinématographique : *Danse avec les loups*

Il y a, dans la scène d'ouverture du film, un panoramique horizontal qui, repre-nant le point de vue de John J. Dunbar, s'attarde sur les instruments chirurgi-caux sanglants qui se trouvent à côté de lui. En ayant vu ce que Dunbar voit, nous comprenons sa décision lorsqu'il refuse l'amputation.

Valeur dramaturgique

Le panoramique offre une autre option que le plan d'insert. Il donne à voir l'in-formation en temps réel et dans un mouvement continu qui apporte une cer-taine fluidité. Le panoramique est une des formes que peut prendre le plan subjectif ; il en existe beaucoup d'autres.

1.

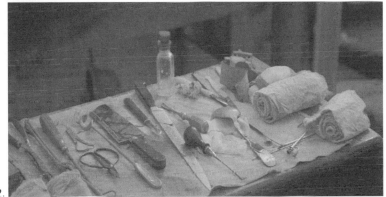

2.

3.

Procédé technique 69 : panoramique vertical ascendant (personnage)

Dans le panoramique vertical ascendant, la caméra pivote sur son axe, de bas en haut, en suivant un plan vertical. Ce mouvement d'appareil est généralement utilisé dans les plans de découverte.

Exemple cinématographique : *Léon*

Dans *Léon*, le panoramique vertical introduit le personnage de la jeune Mathilde. Le mouvement part de ses bottes, remonte sur les motifs de son collant, passe sur ses bijoux d'adolescente pour arriver à son visage, gentil et vulnérable, qui apparaît derrière une balustrade ouvragée. Ce lent mouvement permet au spectateur de remarquer ses vêtements dépareillés et d'en saisir la contradiction, qui se révélera être le caractère fondamental du personnage : c'est en même temps une femme et une enfant, un être à la fois dur et gentil.

Valeur dramaturgique

Un court panoramique vertical produit le même effet qu'un gros plan en mouvement. Il dirige l'attention du spectateur sur des détails qui auraient pu lui échapper.

Autre film

- *Citizen Kane* (voir le procédé technique 23)

Léon (1994) - scène 7

Scénario : Luc Besson. Écrit au bord de la mer, 1993.

Bien qu'il ne soit pas fait ici mention du panoramique vertical, les contradictions que révéleront les mouvements d'appareil sont mentionnées. Voici l'extrait du scénario.

```
38. INT. IMMEUBLE D'HABITATION - JOUR

LÉON monte les marches de l'escalier. Il semble un peu fatigué.
Arrivé à son étage, LÉON passe devant une FILLE de douze ans
assise sur les marches. Elle cache sa cigarette quand elle le
voit.

La FILLE est adorable—moitié ange, moitié démon. Ce n'est pas
encore une femme, mais ce n'est plus une enfant. Elle est en
tout cas extrêmement séduisante.

Ils se sourient à distance. LÉON remarque son mascara et son
fard à joues.

Il la dépasse, puis revient sur ses pas.
```

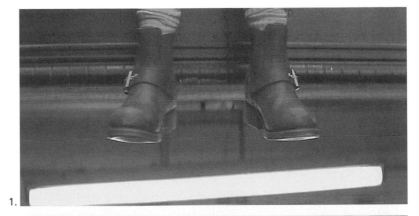

1.

2.

3.

Procédé technique 70 : panoramique vertical descendant

Dans le panoramique vertical descendant, la caméra pivote sur son axe, de haut en bas, en suivant un plan vertical. Ce mouvement d'appareil, comme le panoramique vertical ascendant, est généralement utilisé dans les plans de découverte.

Exemple cinématographique n° 1 : *Fargo*

Cet exemple illustre une utilisation convenue du panoramique vertical descendant. En effet, au départ, la caméra filme un panneau d'autoroute pour arriver en fin de mouvement sur le toit d'une voiture, et indiquer ainsi le lieu où elle se trouve.

Exemple cinématographique n° 2 : *Fargo*

Ce second exemple est presque identique au premier, mais au lieu de partir d'un panneau d'autoroute, la séquence commence par une énorme et inquiétante statue de Paul Bunyan. Sur cette statue est fixée une plaque qui annonce la ville prochaine, Brainerd. Le plan, filmé de nuit, démarre sur le haut du crâne de Bunyan et fournit également au public des indications sur le lieu tout en créant une atmosphère.

Valeur dramaturgique

Ces deux mouvements localisent les séquences. Le premier associe une voiture particulière à un lieu, tandis que le second s'attache à décrire l'atmosphère. Le plan de Paul Bunyan souligne également la grande taille de la statue, un peu comme si seul le mouvement pouvait permettre de la saisir en son entier. Ce panoramique est similaire au mouvement qui embrasse les biens innombrables de Kane (voir le procédé technique n° 23, page 60).

Remarque sur le scénario

Le premier extrait du scénario, qui a trait au premier exemple, illustre la façon dont les scénaristes expriment habilement leur idée.

En ce qui concerne le second exemple, les photogrammes ci-contre viennent illustrer la dramatisation que donne le mouvement de caméra.

Fargo (1996)

Scénario : Joel et Ethan Coen. Version du 2 novembre 1994.

1er exemple

```
UN PANNEAU VERT D'AUTOROUTE

Qui indique la sortie pour aller à L'AÉROPORT INTERNATIONAL DE
MINNEAPOLIS.

Un panoramique vertical descendant fait apparaître Carl au
volant de la Ciera qui prend l'embranchement.

On peut lire sur un panneau de l'aéroport : PARKING LONGUE DURÉE.

Carl prend un ticket et s'engage dans la rampe du parking.
```

2nd exemple

1.

2.

3.

Procédé technique 71 : rotation

Dans une rotation, la caméra pivote autour de son axe. Pour arriver à la stabilité désirée et pour que l'effet produit soit déconcertant, il faut que la caméra soit bien fixée sur son pied. Voici comment le film *Bound* fait usage d'une rotation à 90 degrés.

Exemple cinématographique : *Bound*

Ceasar, un truand, rentre chez lui avec un sac rempli de petites coupures tachées de sang. Le lendemain, sa fiancée met au courant son amie Corky de ce qui s'est passé dans la soirée. Les plans alternent les événements présents et les péripéties de la veille.

Comme ces péripéties se déroulent sur une période plus longue, un mouvement rotatif de caméra se glisse dans la narration. Il a pour fonction de séparer l'histoire en deux plans distincts, comme le tomber du rideau au théâtre ou les chapitres d'un roman.

À cet égard, les deux « chapitres » représentent un changement de tonalité dans les événements de la soirée, changement qui va de la « normalité du truand » à la « surréalité du truand ». La rotation marque le passage d'un état à un autre.

Valeur dramaturgique

Ce mouvement de caméra fonctionne comme une métaphore en déterminant l'atmosphère de la soirée. Dans cet exemple, la rotation de la caméra divise un souvenir en deux parties distinctes.

Remarque sur le scénario

Dans l'extrait ci-contre, les scénaristes-réalisateurs Larry et Andy Wachowski ne décrivent pas le mouvement de caméra, mais indiquent seulement son effet. Nous sommes à la fin de la séquence où Violet, la petite amie de Ceasar, commence à raconter les événements de la veille.

Autre film

. *Apocalypse Now* (les fondus de la scène d'ouverture)
Voir les photogrammes ci-contre.

Bound (1996)

Scénario : Larry et Andy Wachowski. 1re version, 28 septembre 1994.

```
INT. APPARTEMENT DE CORKY - JOUR
                    VIOLET
          C'était irréel…
```

La caméra va chercher son visage.

```
RACCORD AVEC :
```

Le visage de Benjamin Franklin sur un billet de cent dollars.

```
INT. APPARTEMENT DE CEASAR
```

Le visage de Franklin tourne sur lui-même alors que nous nous reculons en travelling pour découvrir des rangées de billets soigneusement accrochés sur des cordes avec des trombones.

```
                    VIOLET (voix off)
          Des centaines de billets accrochés partout comme
          des feuilles.
```

Le fond des yeux teinté de vert, Violet revient vers les cordes où sèchent les billets jusqu'à ce qu'elle voie Ceasar.

Il est au milieu de la pièce, vêtu d'un tricot de corps, debout devant la planche à repasser, repassant les billets l'un après l'autre.

Il semble avoir un œil sur elle et un œil sur son travail.

```
                    VIOLET (voix off)
          Alors, il les a tous repassés.
```

Il pulvérise de l'amidon sur plusieurs billets et passe le fer à vapeur dessus.

```
                    CORKY (voix off)
          Il a dormi ?
```

Bound

1.

2.

3.

4.

Apocalypse Now

1.

2.

3.

4.

Procédé technique 72 : travelling

Techniquement, on parle de travelling lorsque la caméra, fixée sur un chariot, glisse sur des rails. La caméra se déplace ainsi sans heurt en suivant un axe établi et, tout comme les rails de chemin de fer, elle peut aller en ligne droite ou suivre des courbes. Aujourd'hui, le travelling est devenu un terme générique qui recouvre tout mouvement d'appareil dont le rendu s'apparente à celui d'un chariot monté sur rails. Le travelling est donc réalisé à partir de moyens de déplacement aussi divers que la voiture, le train, le bateau, l'avion, l'hélicoptère, le steadicam… ou une caméra portée.

Ce mouvement est utilisé dans diverses situations. La caméra peut faire un travelling sur différents visage, comme au début de la scène du tribunal dans *American Beauty*. De cette façon, le spectateur regarde attentivement le visage de chaque juré, comme s'il le découvrait par le truchement d'un « gros plan en mouvement ». La caméra peut également faire un travelling en tournant autour d'un objet, comme dans la séquence du dîner de *Reservoir Dogs,* où la caméra tourne autour des voleurs de bijoux.

Dans *Marathon Man* et *Les Quatre Cents Coups*, de très longs travellings latéraux suivent les héros. Un des travellings les plus ingénieux se trouve dans *Liaison fatale*. Voici à quoi il ressemble.

Exemple cinématographique : *Liaison fatale*

Dan (Michael Douglas) mène une existence parfaite, mais un jour il décide de prendre un verre avec une séduisante collègue de bureau (Glen Close). Pendant leur conversation, la caméra se déplace dans un brillant travelling qui va révéler les deux faces du caractère de Dan.

Le plan qui précède le travelling est un plan en amorce où Michael Douglas se trouve dans l'axe de la caméra (photogramme n° 1). C'est le « bon côté » du personnage qui s'exprime :

a) il est avocat et se montre un fils plein d'égards pour sa mère, qu'il aide dans son divorce. Puis nous raccordons à un plan où Michael Douglas est filmé de dos, et, partant de son « bon côté », la caméra fait un travelling pour aller chercher son « mauvais côté » (photogrammes n°s 2, 3 et 4).

b) la conversation roule désormais sur la « discrétion », sujet qui les conduit à envisager leur week-end en amoureux. En un seul travelling, nous passons du « bon côté » au « mauvais côté » du personnage, du fils respectueux au mari infidèle.

Valeur dramaturgique
Le mouvement de caméra met en parallèle le moi intime et la représentation extérieure du personnage. C'est une façon intelligente et inattendue de faire un travelling.

Autres films

- *Marathon Man*
- *American Beauty*
- *Les Quatre Cents Coups*

1.

2.

3.

4.

5.

6.

Procédé technique 73 : travelling circulaire

Ce mouvement peut être associé à des idées très différentes. Dans la séquence d'ouverture des deux films pris ici en exemples, le travelling circulaire exprime l'idée de conspiration. Il sert également à circonscrire des groupes de personnes – les initiés et les profanes – sur lesquels les deux intrigues prennent appui.

Exemple cinématographique : *Reservoir Dogs*

Le travelling circulaire de *Reservoir Dogs* nous introduit dans le « repaire des voleurs » : huit voleurs de bijoux font cercle autour d'une table, comme pour un dîner. La caméra tourne d'abord autour de la table. Le spectateur assiste à cette scène comme un « profane ». À la fin de la séquence, il a glané des informations qui lui permettent d'entrer dans la conversation. La caméra s'arrête alors, fixe sur son pied, et se place à table parmi les personnages : c'est comme si les voleurs de bijoux avaient tiré une chaise pour inviter le spectateur à s'asseoir avec eux. Une série de gros plans bien dégagés vient ensuite, avec de longs plans de dialogues explicatifs. La chaise est en léger retrait par rapport aux autres, indiquant par là que le spectateur est un invité privilégié, mais non un membre à part entière de la confrérie.

Le travelling circulaire exprime le fait que le spectateur n'est encore qu'un profane ; par contraste, les plans immobiles en font un initié. Nous apprendrons plus tard que la scène à laquelle nous avons assisté fait suite au complot des voleurs pour planifier le vol et régler leurs comptes. Malgré les informations que nous glanons et qui font de nous des « initiés », nous ne sommes pas encore en mesure de saisir toute la portée de cette scène. Cette séquence est presque identique à la scène d'introduction de *La Conversation secrète*.

Exemple cinématographique : *La Conversation secrète* (non illustré)

Dans la scène d'ouverture, la caméra suit les conspirateurs – qui ne sont pas encore identifiés comme tels – qui se déplacent en cercle au milieu de la foule, à la mi-journée. Nous apprendrons plus tard que ce sont des conspirateurs, non les victimes.

Valeur dramaturgique

Dans ces deux exemples, le travelling circulaire anticipe un complot qui sera révélé plus tard. Le mouvement de la caméra permet d'exposer un thème, implique plus profondément le public dans l'intrigue et, surtout, augmente l'impact de la narration.

1.

2.

3.

4.

Procédé technique 74 : travelling avant travelling arrière

Dans le travelling avant, la caméra avance progressivement vers un objet, parallèlement à l'axe optique de l'objectif. Le champ de vision se réduit au fur et à mesure que la caméra se rapproche de l'objet filmé.

Dans le travelling arrière, la caméra se recule progressivement d'un objet, toujours parallèlement à l'axe optique de l'objectif. Le champ de vision s'élargit à mesure que la caméra s'éloigne de l'objet filmé.

Ces mouvements d'appareil sont communément utilisés, et l'on voit souvent un travelling qui s'avance vers un objet suivi d'un travelling arrière dans un lieu différent, qui part d'un objet identique. Le plus souvent, ces mouvements permettent d'entrer ou de sortir d'un endroit. Cependant, ils peuvent être utilisés à des fins dramatiques ou pour établir une comparaison : voyant un même objet dans deux endroits différents, le spectateur compare immédiatement les deux situations. Voici comment le « travelling avant - travelling arrière » est utilisé dans *Fargo*.

Exemple cinématographique : *Fargo*

Deux hommes de main se cachent dans un bungalow dans les faubourgs de la ville. La personne qu'ils ont kidnappée est assise sur une chaise, les mains liées, le visage caché par une cagoule. Un des brigands cherche quelque chose. Il fixe alors la respiration régulière de sa victime, qui en passant à travers la cagoule humecte le tissu. Il jette un coup d'œil à son comparse occupé à marteler frénétiquement le poste de télévision qui ne fonctionne pas. Alors que le premier brigand observe le comportement stupide de l'autre, la caméra s'avance en travelling vers le téléviseur jusqu'à ce que l'écran prenne tout le

cadre. Puis la caméra reste sur l'écran jusqu'à ce qu'une image apparaisse. La caméra recule alors en travelling, et nous nous rendons compte qu'il s'agit d'un autre téléviseur et d'un endroit différent. Nous raccordons alors sur le nouveau téléspectateur, qui n'est autre que Marge, couchée dans son lit, son mari endormi à ses côtés.

Valeur dramaturgique

Dans ces deux séquences, deux couples regardent la télévision tard dans la nuit ; dans le premier cas il s'agit de brigands, dans le second d'un mari et de sa femme qui attendent un enfant, nageant dans le bonheur. L'alternance des plans nous rappelle les voies différentes que la vie peut emprunter. Le plan prend appui sur un objet précis pour mettre en opposition deux environnements et les personnages qui s'y meuvent.

Fargo *(1996)*

Scénario : Joel et Ethan Coen. Version du 2 novembre 1994.

Nous passons directement au milieu de la séquence.

INT. BUNGALOW

NOUS AVANÇONS EN TRAVELLING VERS CARL SHOWALTER, DEBOUT DEVANT
UN VIEUX téléviseur noir et blanc. Il ne diffuse que de la
neige. Carl frappe dessus tout en grommelant :

CARL
… des jours… On est ici depuis des jours avec
un… Nom de nom !… Une panne de merde !…
RIEN À FAIRE… ET CE BORDEL DE… NOM DE NOM !

À chaque "nom de nom", il donne un coup de poing sur
la télévision.

CARL
… Même la TÉLÉ ne… Branche-moi, MEC… DONNE-MOI UN…
NOM DE NOM !… UN SIGNAL… Branche-moi sur le
septième ciel, bébé… Branche-moi sur le septième
ciel… MERDE !

AU DERNIER COUP PORTÉ ON RACCORDE SUR :

UN NOUVEAU TÉLÉVISEUR

Un insecte est en train de tirer un ver en très gros plan.

VOIX OFF DE LA TV

Le coléoptère transporte le ver dans son nid… où il servira
de nourriture à ses petits pendant plus de six semaines…

En nous retirant de l'écran de télévision en travelling arrière,
nous découvrons que nous sommes dans la maison de Marge.

Couchés dans le lit, Marge et Norm regardent la télévision.
Nous entendons un grésillement d'insectes, qui fait partie
de la bande-son du film.

1.

2.

3.

4.

Procédé technique 75 : plan par mouvement de grue

Dans un plan de grue, la caméra est fixée au bout d'un grand bras articulé, lui-même fixé sur un support mobile. La caméra peut ainsi s'élever ou se baisser en fonction des axes et des angles de vue désirés. Le plus souvent, la grue est utilisée pour faire des plans en plongée.

Exemple cinématographique : *La Soif du mal*

Orson Welles ouvre son film par un plan de grue légendaire, qui est resté inégalé. La séquence commence par un gros plan sur une bombe à retardement, puis la caméra s'élève au-dessus d'une ville-frontière où règne une intense animation nocturne. Le plan suit de façon fluide des axes linéaires, et semble anticiper l'action.

Valeur dramaturgique

Ce plan d'ouverture semble être celui d'un personnage omniscient. Cela tient à sa facilité apparente à révéler à l'avance des « secrets » et des événements importants.

Autre film

- *The Player* (en hommage à ce plan d'Orson Welles)

1.

2.

3.

Procédé technique 76 : plan de caméra portée

Lorsque la caméra est désolidarisée de son pied et portée par l'opérateur, sur son bras ou à l'aide d'un système de harnais, on parle d'un plan effectué en caméra portée. L'image qui en résulte est instable. Plus le plan est heurté, plus il traduit l'incertitude et la précipitation. L'effet est souvent accentué en juxtaposant un plan de caméra portée et un plan au mouvement régulier, ou bien un plan fixe.

Exemple cinématographique : *La Soif du mal*

Dans la version filmée, la séquence de grue légendaire commence par un gros plan pour arriver à un plan en plongée. Par la suite, les axes changent continuellement au fur et à mesure que la caméra se déplace dans la ville en attendant que le tic-tac de la bombe s'arrête.

Plan 1 – ordre
Le plan d'ouverture est orchestré avec précision et fait un parallèle avec le monde réglé d'un jeune couple quand, soudain, une voiture explose.

Plan 2 – chaos
Une fois que la bombe a explosé, le mouvement de caméra change. Au mouvement fluide de la grue succède un plan chaotique.

Remarque sur le scénario
Orson Welles utilise la caméra portée pour traduire la panique qui suit l'explosion de la bombe. Un opérateur court derrière les personnages principaux pour les suivre dans la foule.

Dans la version filmée, le chaos est traduit par le mouvement de la caméra, qui est placée sur un support mobile devant les personnages et les filme en travelling arrière. Cette course désordonnée exprime bien plus fortement la sensation de chaos que n'aurait pu le faire la caméra portée.

Valeur dramaturgique

Le plan de caméra portée exprime souvent une situation incertaine. Il est encore plus efficace quand il contraste avec un plan fixe.

La Soif du mal (1958)

Scénario Orson Welles.
Version définitive révisée le 5 février 1957.

Nous prenons le scénario à la fin de la scène de la grue. Le mouvement passe ensuite en caméra portée. Référez-vous au contre-champ ci-dessous.

POINT DE CONTRÔLE DE LA FRONTIÈRE

Juste au moment où leurs lèvres se rencontrent…
se produit une explosion assourdissante ! Un éclair
déchire l'obscurité…

BREF INSERT - LA CARCASSE EN FEU DE LA VOITURE

Fort brouhaha de la foule qui commence à
se former. On entend au loin le bruit perçant
des SIFFLETS de police… et puis le hurlement
d'une SIRÈNE qui s'approche…

CONTRE-CHAMP

La séquence qui suit est filmée en caméra
portée ; l'opérateur suit en courant Mike et Susan
à travers la foule.

Mike, suivi par Susan, court devant lui lorsqu'un
VIEIL HOMME (qui ressemble à un ouvrier agricole)
s'enfuit en courant dans la direction opposée.
Mike l'arrête et échange rapidement avec lui
quelques mots en espagnol.

                SUSAN
          Mike !… Qu'est-ce qui se passe ?

Le vieil homme sort du CHAMP en courant.
Mike se dépêche d'aller sur le lieu de l'accident ;
Susan reste à ses côtés.

                Mike
         Ça a explosé…

                SUSAN
                (en haletant,
                ils courent presque
                maintenant)

         Rien que la voiture ?…
         Comment cela a-t-il pu se passer ?

La séquence continue.

1.

2.

3.

4.

Procédé technique 77 : plan de caméra portée et plan subjectif

Exemple cinématographique : *Pulp Fiction*

Dans cette séquence bien connue, l'amorce des bouleversements à venir est le moment où le dealer, sa petite amie et des clients prennent conscience que la femme qui est allongée sur le tapis est en train de mourir d'une overdose.
La caméra passe très rapidement d'un personnage à l'autre, comme si le mouvement de caméra portée était le plan subjectif du spectateur, présent au milieu de la pièce.

Valeur dramaturgique

Le plan de caméra portée, nous l'avons vu, est encore plus efficace quand il est juxtaposé à un plan fixe. Il a également plus de poids quand il adopte le point de vue d'un personnage.

Pulp Fiction (1994)

Scénario : Quentin Tarantino, mai 1993.

Histoires : Quentin Tarantino et Roger Roberts Avary.

NOUS SOMMES dans la chambre à coucher de Lance et Jody.

Jody est dans le lit, elle retire les couvertures et se lève.
Elle porte un grand tee-shirt sur lequel est imprimé le
personnage de Fred Flinstone.

Nous la suivons DE DOS en caméra portée ; elle ouvre la porte
et remonte le couloir pour entrer dans le salon.

                    JODY
          Lance ? Merde ! Il est plus d'une heure du matin,
          merde ! Mais qu'est-ce qui se passe,
          vous faites chier !

Elle s'avance dans le salon, et voit Vincent et Lance penchés
sur Mia, étendue de tout son long au milieu de la pièce.

La séquence est frénétique d'un bout à l'autre, comme dans
un DOCUMENTAIRE tourné dans une salle des urgences ; la seule
différence est qu'ici personne ne sait ce qu'ils peuvent bien
trafiquer.

                    JODY
          C'est qui, ça ?

Lance regarde Jody.

                    LANCE
          Va dans le frigo, va me chercher le truc pour
          la piqûre d'adrénaline !

1.

2.

3.

Procédé technique 78 : plan de steadicam

Le steadicam est un système de stabilisation de l'image qui relie la caméra et l'opérateur par un harnais ; il offre la même liberté que la caméra portée. Les plans réalisés en steadicam évitent les heurts provoqués par la caméra portée : ils sont plus lisses et donnent l'impression que la caméra flotte ou vole. Ce système a fait son apparition dans les années soixante-dix et a été utilisé dans des films comme *Rocky* ou *Shining*. Depuis, cette technique est couramment utilisée au cinéma.

Voici comment Martin Scorsese, dans *Les Affranchis*, utilise un long plan de steadicam pour approfondir le caractère des personnages.

Exemple cinématographique : *Les Affranchis*

Henry est un truand plein d'avenir. Dans cette séquence, il a décidé de révéler à sa fiancée, qui n'est pas du milieu, sa vie de truand. Plutôt que de faire la queue à la porte d'entrée du Copacabana, il la fait passer par la sortie de secours. Le steadicam suit le couple à travers les couloirs du sous-sol et une immense cuisine. Tout au long du chemin, Henry donne des pourboires aux commis, aux cuisiniers, aux serveurs et aux maîtres d'hôtel afin d'impressionner sa fiancée. La vue des coulisses du club est un parallèle exact de la face cachée de sa vie de truand.

Valeur dramaturgique
Dans cette séquence, la fluidité du steadicam traduit la vie facile d'Henry et sa bonne étoile.

Des films d'horreur comme *Shining* ou la série des *Halloween* ont fait largement usage de la possibilité qu'a le steadicam de se déplacer n'importe où, puis de tournoyer brusquement en plan large. La fluidité de ce système permet également de suggérer les rêves et les projections de l'imagination.

Autres films

- *Rocky* (les escaliers du tribunal de Philadelphie)
- *Halloween* (le plan subjectif d'ouverture)
- *Le Bûcher des vanités*
- *Shining*

Les Affranchis (1990) - scène 46

Scénario : Nicolas Pileggi. Version du 12 janvier 1989.

D'après le roman de Nicolas Pileggi *Wiseguy*.

EXT. COPACABANA - NUIT

Henry donne ses clefs et un billet roulé de vingt
dollars au PORTIER de l'immeuble qui se trouve de l'autre
côté de la rue, puis il conduit KAREN vers le Copa.

      KAREN
   Qu'est-ce que tu fais ? Et la voiture ?

      Henry
     (il la pousse dans la foule
qui fait la queue pour entrer)
   Il s'en occupe. Ça vaut mieux que
   d'attendre une place de parking.

NOUS VOYONS HENRY entraîner prestement KAREN loin de
la porte d'entrée et descendre les escaliers qui mènent
au sous-sol. Un IMPOSANT GARDE DU CORPS, qui est en
train de manger un sandwich dans la cage d'escalier,
envoie un " bonjour " sonore à HENRY. NOUS VOYONS HENRY
passer directement par la cuisine en sous-sol, pleine
de CUISINIERS CHINOIS, de LATINOS et de PLONGEURS qui
ne font pas attention à eux. KAREN assiste à la scène,
bouche bée. HENRY passe par un escalier de cuisine
en fer puis par une porte à double battant, et soudain
KAREN se retrouve dans la salle principale. Le MAÎTRE
D'HÔTEL, harcelé par des clients qui réclament une table,
fait un joyeux signe de main à HENRY et signale
sa présence à un CHEF DE RANG. NOUS VOYONS une table
portée par DEUX SERVEURS qui se frayent un chemin dans
la salle, et posent la table en plein devant celle qui
jusqu'à présent était la mieux placée. Comme HENRY
conduit KAREN vers leur place, elle voit qu'il salue et
serre la main de PLUSIEURS AUTRES INVITÉS. NOUS VOYONS
HENRY glisser tranquillement des billets de vingt dollars
aux SERVEURS.

1.

2.

3.

4.

5.

6.

7.

8.

Procédé technique 79 : plan aérien

Dans un plan aérien, la caméra est placée dans un endroit élevé : le sommet d'une montagne, un avion ou un hélicoptère. Les qualités graphiques de la perspective d'une vue à vol d'oiseau permettent de tirer facilement le plan vers une représentation symbolique. Voici comment Jane Campion donne sens à ce type de plan dans *La Leçon de piano*.

Exemple cinématographique : *La Leçon de piano*

Après une journée entière passée à la plage, Ada (Holly Hunter) rentre chez elle. Sa petite fille suit ses traces comme un canard. Leurs pas dessinent une grande courbe sur le sable mouillé. Non loin de là, le soupirant d'Holly Hunter (Harvey Keitel), qui surveille les deux femmes, hésite à emprunter le chemin tracé dans le sable.

Le plan aérien permet de suivre visuellement Harvey Keitel dans sa décision. Nous voyons le long chemin dans le sable mouillé séparer le plan en deux : Harvey Keitel se tient d'un côté, et Holly Hunter et sa fille de l'autre. Lorsque Harvey Keitel met ses pas dans les traces de Holly Hunter dans le sable, nous savons qu'il a décidé de lui faire la cour.

Ce plan nous permet également de voir le dessin que les deux femmes laissent derrière elles. Nous ne savons pas précisément s'il s'agit d'un hippocampe ou d'une clef de sol, mais cela trahit la nature fantasque, encore inconnue, d'Ada.

Valeur dramaturgique
Le plan aérien traduit visuellement la décision d'Harvey Keitel et donne toute son importance au dessin sur le sable, que l'on ne peut saisir dans son entier que d'un point de vue élevé.

Autres films

- *Psychose*
- *American Beauty*

La Leçon de piano (1993) - scène 31

Scénario : Jane Campion. 4ᵉ version, 1991.

Sc. 31. EXT. PLAGE - NUIT

La caméra fait un travelling le long de la plage depuis
un hélicoptère, suit le déferlement des vagues sur le rivage,
pour finir par découvrir le piano.

Remarque sur le scénario : dans le film, le plan aérien découvre
l'hippocampe-clef de sol au lieu du piano.

1.

2.

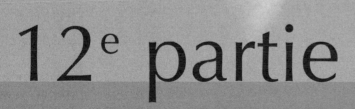

12ᵉ partie

L'ÉCLAIRAGE

Procédé technique 80 : éclairage en clair-obscur

Le peintre italien Caravage a développé une nouvelle conception de la lumière, avec un clair-obscur très contrasté : un fort éclairage latéral fait surgir d'un fond sombre des personnages violemment mis en lumière, sans transition. On dit de cette technique qu'elle accentue la dramatisation ou le réalisme. Au cinéma, cet éclairage, que l'on qualifie volontiers de lumière à la Rembrandt, intervient souvent à des moments clefs de l'histoire, où s'expriment des interrogations philosophiques sur le bien et le mal, ou la vie et la mort. Voici comment cette technique est utilisée dans *Apocalypse Now*.

Exemple cinématographique : *Apocalypse Now*

Dans ce film, le capitaine Willard (Martin Sheen) a pour mission de localiser le colonel Kurtz et de mettre fin à ses jours, mais nous savons dès le début du film que Willard lui-même est à deux doigts de sombrer dans la folie.

Voici trois exemples où le clair-obscur concourt au sens dramatique de la scène.

Plan 1

Au début de la séquence, Willard s'agenouille devant un rideau en contre-jour en attendant de rencontrer le colonel Kurtz. Comme le rideau est éclairé et que Willard apparaît en silhouette, la présence invisible de Kurtz est prépondérante. Le rideau en contre-jour confère également à Kurtz un côté mystique.

Plan 2

Nous raccordons alors au plan de Kurtz qui se tient derrière le rideau. Il vient de faire une sieste, et sa tête massive qui émerge de l'obscurité paraît détachée de son corps. Kurtz se tient la tête ; son occiput, qui seul se trouve dans la lumière, ressemble à un croissant de lune qui rappelle subtilement son caractère « lunatique » et souligne la folie qui l'habite.

Plan 3

Dans le dernier plan de cette séquence, Kurtz se passe la tête sous l'eau pendant que Willard lui dit que ses supérieurs pensent qu'il est devenu fou. La tête de Kurtz est maintenant totalement éclairée, et l'eau semble couler comme de l'or. Nous associons inconsciemment l'eau et la propreté, mais Kurtz ne parvient pas à se débarrasser de ses démons. C'est une image d'une force remarquable, hors du temps et dérangeante.

Valeur dramaturgique

Le fort contraste du clair-obscur dramatise la démence de Kurtz. Le contre-jour, souvent associé à la bonté, est ici détourné de son sens pour suggérer la folie.

Procédé technique 81 : éclairage télé ou vidéo

L'éclairage télé, et plus spécialement celui des sitcoms ou feuilletons tournés en vidéo, est brillant, plat et sans ombre. En l'adoptant, le sujet traité peut acquérir une certaine force dramatique.

Exemple cinématographique : *Tueurs nés*

Dans ce film, l'héroïne, Mallory, répond à une question de son petit ami sur ses parents par un flash-back qui a la facture immédiate d'un sitcom classique. L'éclairage est plat, les plans sont réalisés dans le style de la télévision, et un rire enregistré souligne chaque gag.

Le propos, pourtant, n'a rien à voir avec un épisode de sitcom, l'intrigue tournant autour du viol que son père lui a fait subir et de la violence psychologique qui règne dans sa famille.

Valeur dramaturgique
La séquence s'inspire d'une facture connue et s'y tient. En prenant la forme d'un sitcom, elle acquiert une efficacité redoutable et nous montre ce que nous ne voulons pas voir.

Remarque sur le scénario
Dans l'extrait du scénario présenté ci-contre, le flash-back est raconté par Mickey, le petit ami de Mallory ; dans le film, il l'est par Mallory elle-même.

Tueurs nés (1994)

INT. SALON DES PARENTS DE MALLORY - NUIT - FLASH-BACK

Le décor général est celui d'un sitcom télé. L'éclairage est plat, le jeu et le rythme, ceux de la télévision. La séquence est tournée à trois caméras VIDÉO — peut-être en NOIR et BLANC, pour traduire l'époque que Michael a en tête, celle où pour la première fois il a regardé la télévision.

(omission de la voix off de Mickey)

MALLORY reçoit les APPLAUDISSEMENTS fournis DU PUBLIC au moment où elle descend les escaliers, habillée sur son trente et un, l'air punk, sexy, prête à débiter ses dialogues — elle a une expression pleine de douceur, peut-être un appareil dentaire.

> MALLORY
> Bonjour, Papa. Comment ça s'est passé au travail ?

LE PÈRE est un homme à l'allure étrange, assis à table, épuisé et en colère, avec un tricot de corps crasseux.

> LE PÈRE
> Mon travail ? Quel travail ? Je suis au chômage !
> Ça fait trois ans que je suis au chômage !

> (RIRES)

LA MÈRE toujours en train de sourire, les yeux entrouverts, lui tend un grand biscuit salé avec une soupe aux pois.

> LA MÈRE
> Tu es bien jolie, Mallory.

Son jeune frère, KEVIN, est en train de faire ses devoirs à table.

> KEVIN
> Beurk. Elle ressemble à… eeeuuurk.

> (RIRES)

> MALLORY (IGNORANT KEVIN)
> Merci, Maman. Je suis en retard. Je serai de retour vers minuit.

> LE PÈRE
> T'a vu comme t'es sapée ? Un manche à balai dans un sac pourri.
> Quelques kilos en moins, et t'es bonne pour l'élection de Miss Éthiopie.
> Bon sang ! Où vas-tu comme ça ?

> MALLORY
> Je vais au concert de John Lee Hooker. Avec Donna. Je te l'ai dit hier.

Le père se lève et la suit à la trace dans le salon. Dans son esprit, il est évident qu'elle ne va nulle part ce soir.

> LE PÈRE
> Primo, tu ne me dis rien, tu me demandes la permission. Deusio, tu ne peux pas sortir avec cette robe de pute. Tertio, tu ne peux pas sortir du tout. Tu n'as pas tondu la pelouse.

1.

2.

3.

4.

Procédé technique 82 : éclairage aux chandelles

L'éclairage aux chandelles a des qualités intrinsèques qui mettent le visage en valeur, adoucissent et réchauffent les carnations. Il évoque les scènes sentimentales, la fête et l'harmonie, tout en restant historiquement associé aux époques antérieures au XXe siècle. Pour rester aussi proche que possible de la vérité historique, Stanley Kubrick réalisa entièrement *Barry Lyndon* en n'ayant recours qu'à la lumière naturelle et à l'éclairage aux chandelles.

Dans l'exemple qui suit, les diverses connotations traditionnelles de l'éclairage aux chandelles sont détournées pour exacerber le déséquilibre d'une famille de banlieue.

Exemple cinématographique : *American Beauty*

Pour montrer le dysfonctionnement de la vie de famille de ses héros, le scénariste Alan Ball se sert de la valeur évocatrice de l'éclairage aux chandelles. Nous assistons d'abord au dîner de la famille de Lestor (Kevin Spacey) qui, en apparence, se déroule dans l'harmonie. La table est éclairée par des bougies qui donnent une lueur chaude et agréable à l'image, composée de façon symétrique. La table est raffinée, et l'éclairage presque trop romantique pour un dîner familial.

Dès que les personnages commencent à parler, nous réalisons que l'ambiance familiale est loin d'être harmonieuse : ces personnages seraient apparemment plus à leur place sous la lumière dure d'un tribunal de grande instance. L'éclairage aux chandelles tourne en ridicule la femme de Lestor (Annette Bening), qui s'efforce de donner l'image d'une vie parfaite. Cette ambiance romantique fait également ressortir tout ce qui s'est délité, au fil des ans, dans leur mariage.

Valeur dramaturgique

En détournant les symboles liés à l'éclairage aux chandelles, Alan Ball parvient à montrer à quel point Lestor et sa famille se sont éloignés de la vie idéale.

Autres films

- *Barry Lyndon*
- *Le Patient anglais*

American Beauty (1999)

Scénario : Alan Ball, 1er avril 1998.

INT. MAISON DE BURNHAM - SALLE À MANGER
- PLUS TARD LA MÊME NUIT.

Nous ENTENDONS, diffusée par la CHAÎNE
STÉRÉO, la version de John Coltrane et
Johnny Hartman de " YOU ARE TOO BEAUTIFUL ".

LESTER, Carolyn et JANE sont en train de
dîner dans une salle à manger très
formelle. Ils sont éclairés aux CHANDELLES
et un bouquet de ROSES ROUGES trône dans un
vase au centre de la table. Nous TOURNONS
doucement autour d'eux pendant qu'ils
mangent. Les personnages ne se regardent
pas, aucun d'eux ne semble même se
préoccuper de la présence des autres,
jusqu'au moment où...

1.

2.

3.

4.

5.

6.

7.

8.

Procédé technique 83 : lumière justifiée

On peut dire que la lumière d'un plan ou d'une séquence est justifiée quand elle correspond aux sources lumineuses logiquement présentes dans l'image. Il peut s'agir d'un réverbère, invisible à l'écran mais dont la lumière vient éclairer des personnages, ou encore d'une lampe qui se trouve dans le décor.

Exemple cinématographique : *Liaison fatale*

Dans ce film, Eve (Glen Close) est devenue de plus en plus dangereuse pour son amant et pour elle-même. Incapable de persuader Dan (Michael Douglas) de poursuivre leur relation, elle fait une tentative de suicide. Peu après, Dan refuse son invitation pour aller voir *Madame Butterfly*. La nuit même de la représentation, Eve écoute chez elle, seule, un enregistrement de l'opéra tout en allumant et en éteignant sans discontinuer une lampe qui se trouve près d'elle.

Valeur dramaturgique
Le jeu de Glen Close et les effets de la lumière expriment l'idée que la santé mentale d'Eve est chancelante, et reflètent ses accès dépressifs. L'utilisation de la lumière est remarquable par sa simplicité, surtout si l'on considère la complexité de sa signification et la rapidité avec laquelle nous la comprenons : tout est dit par le simple jeu de l'interrupteur d'une lampe ordinaire.

1.

2.

3.

Procédé technique 84 : lumière injustifiée

Traditionnellement, la lumière exprime le Bien, et l'obscurité le Mal. Dans *Léon*, Luc Besson utilise une lumière injustifiée pour réévaluer les présomptions qui pèsent sur son héros, Léon, un assassin professionnel.

Exemple cinématographique : *Léon*

À la fin de la première partie, plusieurs membres d'une même famille sont sauvagement assassinés par des policiers corrompus. La jeune fille de la famille, qui était alors absente, rentre chez elle et aperçoit le cadavre de son jeune frère par la porte ouverte de l'appartement. Comprenant qu'elle serait tuée à son tour si les assassins se rendaient compte qu'elle fait, elle aussi, partie de cette famille, elle passe devant la porte de son appartement et se dirige vers celle de son voisin. Ce voisin, nous savons déjà que c'est un assassin professionnel, qui vit reclus.

Après une lutte intérieure intense, l'assassin ouvre grand sa porte à la jeune fille, qui entre dans un bain de lumière. Cette source lumineuse, qui ne peut s'expliquer par la seule logique, donne à la scène une tonalité presque religieuse, et l'assassin se trouve racheté aux yeux du spectateur.

Remarque sur le scénario
Luc Besson, qui est tout à la fois scénariste et réalisateur, ne mentionne que tardivement le bain de lumière. Le scénario expose malgré tout très clairement la situation.

Valeur dramaturgique
Qualifier de façon positive un tueur à gages est un exercice périlleux. Ici, l'éclairage injustifié permet au spectateur de réviser son jugement sur lui.

Léon (1994) - scène 19

Scénario : Luc Besson, 1993.

```
INT. COULOIR

La FILLE, qui porte deux gros sacs à provisions, monte
les escaliers.
Elle ralentit le pas.

Elle sent tout de suite que quelque chose ne va pas.
LÉON est triste pour elle.

MALKY la regarde venir.
Baissant les yeux comme à son habitude, la fille voit les pieds
de son frère mort au moment où un des hommes traîne son corps
dans le couloir. Sans ralentir l'allure ni lever les yeux, elle
passe devant son appartement comme si rien ne s'était passé.

Elle feint de ne pas remarquer MALKY qui surveille toujours la
porte de l'appartement.
Elle va au bout du couloir, s'arrête devant la porte de LÉON et
appuie sur la sonnette.
Des larmes commencent à couler le long de ses joues.
MALKY la regarde toujours.
Maintenant, Léon a réellement pitié d'elle. Il ne sait pas quoi
faire.

LÉON ouvre finalement la porte. La fille entre sans dire un
mot.
```

1.
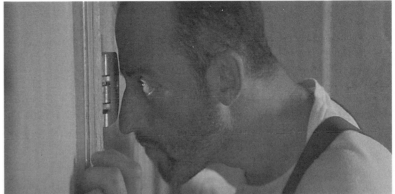

2.

3.

Procédé technique 85 : lumière en mouvement

Les lumières en mouvement peuvent apparaître de différentes façons dans un film. Il peut s'agir, comme dans *Metropolis*, d'un homme qui porte une lampe à huile, ou de l'ampoule nue qui se balance dans *Psychose*, ou encore des lampes de poche des hommes qui poursuivent ET dans le film éponyme.

Dans ces trois exemples, la lumière en mouvement évoque la peur. Dans *ET* et *Metropolis*, elle symbolise l'ennemi qui se rapproche. On ne sait pas quoi rattacher à une lumière de ce type : on peut tout envisager, catastrophe ou folie d'un personnage. Notre peur peut également croître au fur et à mesure du déplacement de la lumière, la distance qui sépare les bons des méchants se réduisant.

Dans *Psychose*, cependant, notre peur est contenue parce que nous sommes désorientés. Nous voyons d'abord une ampoule qui se balance, et nous ne savons pas ce que se passe. Ainsi, cela ne nous touche pas, nous sommes seulement effrayés tant que nos yeux ne parviennent pas à identifier l'objet en question.

Une lumière mouvante peut également symboliser la sécurité. Une lampe de poche ou une lampe à huile peuvent apporter du secours, et une lumière électrique suffit à faire taire notre peur du noir. Quoi qu'il en soit, nous éprouvons de l'appréhension à voir bouger une lumière de façon chaotique, et ces trois films utilisent ce réflexe conditionné pour évoquer la peur. Voici comment cela se passe dans *ET*.

Exemple cinématographique : *ET*

Dans les premières pages du scénario, ET est poursuivi par des hommes qui sont immédiatement identifiés comme ses ennemis. Ils arrivent dans de gros camions aux phares imposants.

Les faisceaux chaotiques de lumière produits par la bande d'hommes sans visage augmentent notre peur.

Valeur dramaturgique

Le mouvement chaotique de la lumière provoque naturellement la peur du spectateur tout en augmentant sa sympathie pour le héros. Un éclairage en mouvement donne également plus d'intensité aux scènes romantiques, comme la lumière vacillante des chandelles dans *Le Patient anglais*. Tout dépend de la nature du mouvement et du contexte.

Autres films

- *Psychose* (la scène décisive où l'ampoule se balance)
- *Metropolis* (l'héroïne innocente poursuivie par un scientifique tenant une lampe à huile)

ET (1982) - scène 26

Scénario : Melissa Mathisson.

Version révisée du 8 septembre 1981. Scénario de tournage.

26. PLAN PLUS LARGE : PLUS DE VOITURES

De plus en plus de voitures arrivent. Nous VOYONS
des PHARES briller et nous ENTENDONS des portières
claquer, des voix étouffées. Puis nous ENTENDONS
LA CRÉATURE casser une branche d'arbuste.
Elle la tient contre son buste. LE BRUIT
DES CLEFS.

Soudain, les éclairs des faisceaux des lampes de
poche encerclent la route et balayent les arbres.

Sans se faire remarquer, LA CRÉATURE va vers
la colline et traverse la route.

27. EXT. RAVIN - NUIT PLAN D'ENSEMBLE

Nous voyons les ombres des hommes sauter le ravin
et courir tout droit dans la forêt. LA CRÉATURE
se cache tout au fond du petit ravin.

KEYS est le dernier à sauter.

Le BRUIT des CLEFS est abominable.

1.

2.

3.

4.

13ᵉ partie

LES ACCESSOIRES ET LES COSTUMES

Procédé technique 86 : accessoires symboliques (extériorisation du personnage)

En intervenant dans le décor ou la mise en scène, les accessoires peuvent exprimer le monde intérieur d'un personnage. Ils donnent sens à l'image, sont mobiles et peuvent revenir tout au long du film.

Exemple cinématographique : *Barton Fink*

Voici la façon dont les frères Coen utilisent les accessoires lorsque Barton découvre sa nouvelle chambre d'hôtel. Chaque accessoire prend une valeur symbolique et réapparaît au cours du film.

1. Le lit qui grince. Barton entre et jette sa valise sur le lit. Des grincements anormalement bruyants se font entendre, comme si le bruitage signalait que le lit allait prendre de l'importance. Plus tard, Barton y trouvera le cadavre d'une femme.

2. La fenêtre scellée. Barton essaie d'ouvrir la fenêtre en pure perte. La fenêtre est coincée, tout comme Barton : il ne pourra pas partir tant qu'il n'aura pas écrit son histoire.

3. La machine à écrire. On la découvre en gros plan. La caméra s'attarde sur elle parce qu'elle représente le nœud du conflit dans le film.

4. Le bloc de papier. Sur le bureau se trouve un bloc de papier portant le logo de l'hôtel Earle et sa devise, « Un jour ou l'éternité ». Cette question implicite devient plus importante à mesure que l'intrigue avance.

5. Le crayon. Barton prend le crayon posé sur le bloc ; le papier qui se trouve en dessous est blanc, faisant apparaître par contraste le papier jauni qui est tout autour. Contrairement à Barton, personne n'a touché à ce crayon depuis des années. Cela souligne que les écrivains sont des étrangers dans l'hôtel Earle. Plus tard, l'écrivain que Barton invite dans sa chambre sera tué.

6. La carte postale. La fille qui est sur la carte postale est la muse de Barton, un fantasme (voir procédé technique n° 38, page 99).

Valeur dramaturgique
Chaque accessoire qui exprime une idée importante réapparaît plus tard dans le film.

Remarque sur le scénario
La scène où Barton déplace le crayon, laissant apparaître le papier jauni, figure dans le film mais pas dans le scénario. La scène de la fenêtre diffère légèrement.

Barton Fink (1991)

Scénario : Joel et Ethan Coen, 19 février 1990.

SA CHAMBRE

Barton entre.

La pièce est petite et pauvrement meublée. Il y a un
lit défoncé avec un couvre-lit jaune, un vieux
secrétaire, un porte-bagages en bois.

Nous profitons de ce que Barton traverse la pièce pour
découvrir un lavabo et une cuvette, un téléphone posé
sur une table de nuit branlante, ainsi qu'une fenêtre
aux rideaux jaunis qui donne sur un puits d'aération.

Barton jette sa valise sur le lit où elle disparaît
en grinçant. Il se débarrasse de sa veste. Des gouttes
de sueur perlent sur son front. Il fait chaud dans
la chambre.

Il traverse la chambre, allume un ventilateur et se bat
pour ouvrir le fenêtre. Il tire dessus de toutes ses
forces, elle finit par s'ouvrir violemment.

Barton prend son Underwood et la pose sur le
secrétaire. Il lui donne une petite tape affectueuse en
passant. Tout près de la machine à écrire se trouvent
quelques feuilles de papier à lettres de l'hôtel : HÔTEL
EARLE : UN JOUR OU L'ÉTERNITÉ.

Nous faisons un panoramique vers une photo dans un
cadre de bois bon marché, accrochée au mur, au-dessus
du bureau.

Une belle jeune femme en maillot de bain est assise
sur la plage, sous un ciel bleu cobalt. Elle regarde
une vague déferler, protégeant d'une main ses yeux du
soleil. Le bruit de la vague se mélange au son ambiant.

1.

2.

3.

4.

5.

Procédé technique 87 : accessoires et vie intérieure du personnage

Quand ils sont choisis et utilisés à bon escient, les accessoires enrichissent le champ sémantique d'une séquence. De grands classiques, comme *Citizen Kane*, *Chinatown* ou *Vol au-dessus d'un nid de coucou* en sont de brillantes illustrations. Dans *Raging Bull*, un des meilleurs films des années quatre-vingt, un accessoire unique traduit l'instabilité mentale croissante du héros.

Exemple cinématographique : *Raging Bull*

Vers le milieu du film, le boxeur professionnel Jake La Motta commence à perdre ses moyens. Il entretient une paranoïa de plus en plus aiguë envers ceux qui l'entourent. Dans cette séquence, Jake est chez lui en train de régler l'image de son téléviseur. Tout d'abord, le signal de la télévision arrive par intermittence, tout comme la santé mentale de Jake. Lorsque sa femme entre et embrasse son beau-frère sur la joue, la paranoïa de Jake explose. La télévision est alors complètement détraquée.

L'image de la télévision est brillamment exploitée pour exprimer le trouble mental du héros, qui atteint son paroxysme au moment où il s'en prend à sa femme et à son frère. À la fin de la séquence, Jake revient s'asseoir devant la télévision, qui reflète de nouveau son état mental. Il est maintenant comme une poupée de chiffon, complètement vidé et seul, et fixe l'écran qui ne diffuse rien d'autre que des bandes horizontales.

Valeur dramaturgique
Ici, l'accessoire a pour fonction d'illustrer graphiquement l'évolution de l'état mental du personnage. Étant intégré à la scène et au décor, il s'ajoute subrep-ticement aux autres degrés de lecture de l'histoire, comme ceux que véhiculent les dialogues et l'action.

Autres films

- *Citizen Kane*
- *Chinatown*
- *Vol au-dessus d'un nid de coucou*
- *Bound*
- *Léon*
- *Harold et Maude*
- *American Beauty*
- *Blade Runner*

Raging Bull (1980)

Scénario : Paul Shrader et Mardik Martin.

INT. SALON DE JAKE – JOUR (1950)

JAKE est en train de se battre avec un poste de
télévision RCA dix pouces dernier cri. Les boutons
le rendent fou et il se met à le frapper. Une image
vidéo bleuâtre apparaît et disparaît. JOEY regarde JAKE
fixer la télévision.

JAKE a un sandwich à moitié mangé à la main.
VICKIE rentre dans la maison, surprise d'y trouver
JAKE.

     VICKIE
   Jake, tu es à la maison ?

JAKE lève les yeux vers elle. (Elle va vers lui et
l'embrasse.) PLAN EN MOUVEMENT.

JOEY donne à VICKIE une bise polie sur la bouche.
PLAN EN MOUVEMENT.

     JOEY
   Bonjour, Vickie.

JAKE regarde JOEY embrasser VICKIE. VICKIE remarque
la réaction de JAKE.

     VICKIE
   Qu'est-ce que tu as ?

     JAKE
   J'essaie de faire marcher cette putain de
   télé. Elle m'a coûté cher et je n'arrive
   toujours pas à capter une station. Et M.
   Sorcier, ici, qui n'en fout pas une.

     JOEY
   Va te faire foutre, Jake.

     JAKE (à Vickie)
   Où est-ce que tu étais ?

VICKIE va dans la chambre pour enlever son manteau.
Dans les escaliers, PLAN EN MOUVEMENT :

     VICKIE
   J'étais sortie.

     JAKE (à Joey)
   C'est quoi ce baiser de merde sur
   la bouche ?

1.

2.

3.

4.

5.

Procédé technique 88 : accessoires rémanents et sens évolutif

Tout comme les costumes, les accessoires sont présents tout le long du film aux côtés des personnages. Les scénaristes peuvent les ignorer ou s'en servir pour donner plus de profondeur à leurs personnages et à l'intrigue.

On peut dire d'un accessoire dont le sens ou l'usage changent au cours du film qu'il est rémanent, et son sens évolutif. Il peut ainsi, dans un premier temps, signifier l'espoir, puis l'emprisonnement, et enfin à nouveau l'espoir. Cette signification variable ou progressive permet de donner du corps à l'intrigue la plus banale.

Exemple cinématographique : *Bound*

Au début de ce brillant film noir sur une relation amoureuse triangulaire, un truand se sert d'un sécateur pour couper les doigts de l'un de ses comparses, qui l'a volé (photogramme n° 1).

Un peu plus tard, Ceasar, un des personnages principaux, qui est lui aussi un truand, menace sa femme et l'amante de celle-ci, Corky, avec le même outil (photogrammes n°s 1 et 2).

Vers la fin du film, Corky, qui risque de devenir la prochaine victime de Ceasar, réussit à se libérer grâce au même sécateur (photogramme n° 4).

Les scénaristes auraient pu imaginer d'autres moyens pour libérer Corky. En revenant au sécateur auquel se trouve déjà attachée une signification précise, ils établissent la progression de l'intrigue. Lorsque Corky parvient à se libérer, le sécateur manifeste que le pouvoir a changé de camp.

Valeur dramaturgique

Le fait que l'accessoire réapparaisse dans le film nous permet d'en saisir le sens inédit, et nous donne des jalons sur l'évolution de l'intrigue. Il est relativement facile de faire apparaître de nouveaux accessoires tout au long du film ; les intégrer à l'histoire dès les premières séquences est un procédé bien plus difficile, mais aussi beaucoup plus efficace.

Autre film

- *Léon* (la plante d'appartement de Léon)

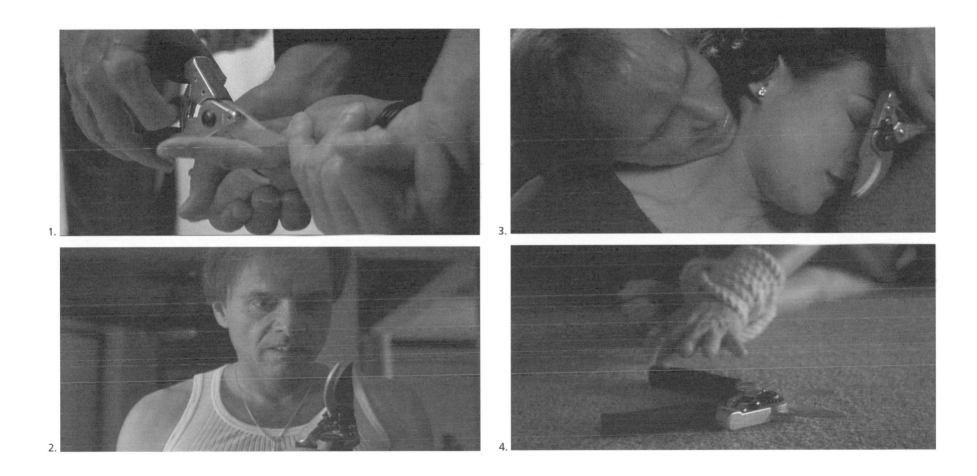

1.

2.

3.

4.

Procédé technique 89 : Utilisation symbolique des véhicules

Le sujet d'un film inspire naturellement des images et des symboles aux scénaristes. La couleur est un thème central du film *Three Women* ; dans *Ed Wood* ce sont les costumes, et dans *Harold et Maude* les véhicules.

Exemple cinématographique : *Harold et Maude*

Dans certains films, des personnages sont associés à la voiture, berline, camionnette... qu'ils conduisent ; dans *Harold et Maude*, les moyens de locomotion représentent un monde à part.

La fascination d'Harold pour la mort est exprimée par le corbillard qu'il a fabriqué à partir d'une Jaguar.

Maude a également détourné la fonction première d'un véhicule en faisant d'un wagon sa maison. Le choix du wagon devient particulièrement significatif quand nous apprenons qu'elle a été envoyée dans un camp de concentration. Les autres véhicules sont aussi choisis soigneusement. Lorsque Harold et Maude volent une voiture, c'est une Lincoln Continental ; quand l'oncle d'Harold l'emmène en balade, c'est en limousine avec chauffeur. À chaque personnage est attribué un véhicule précis.

Au moment le plus important du film, qui correspond également à la libération intérieure d'Harold, on le voit précipiter son « corbillard » du haut d'une falaise. En abandonnant son « corbillard », il embrasse la vie.

Valeur dramaturgique

Les véhicules, comme les costumes et les accessoires personnels, permettent de caractériser les personnages. Mais, comme toujours, la manière d'exprimer les idées dépend du sens de l'histoire.

Autres films

- *Three Women*
- *Ed Wood*

Harold et Maude (1971)

Scénario : Colin Higgins.

Voici trois extraits du scénario qui illustrent la façon dont Colin Higgins prend en compte les véhicules.
La première colonne des photogrammes correspond aux extraits du scénario. Dans la seconde, les photos viennent illustrer la façon dont les véhicules collent au caractère des personnages.

113. PLAN SUBJECTIF DE MME CHASEN

Harold est en train de passer un produit pour faire briller sa voiture. Celle-ci a changé : elle est noire maintenant, avec un toit carré, un long coffre, des rideaux de velours noir et des garnitures en argent.

Édith dit…

> ÉDITH
> Oh ! On dirait un corbillard.
> (Silence.) Très jolie. Compacte.

127 D. INT. VOITURE DE L'ONCLE VICTOR – JOUR

L'oncle Victor et Harold sont assis à l'arrière de la limousine militaire du général. Pendant la promenade, l'oncle Victor devient très expansif. Harold, lui, est exceptionnellement attentif.

194. EXT. LE PROMONTOIRE – PLAN GÉNÉRAL TRÈS LARGE – JOUR

Le petit corbillard tombe de la falaise, s'écrase en bas et prend feu.

1.

2.

3.

Procédé technique 90 : costumes et extériorisation du personnage

Si les costumes répondent à une exigence dramaturgique, il convient d'en faire mention dans un scénario. Dans des films comme *Hedwig and the Angry Inch*, *Single White Female* ou *Three Women*, où les costumes sont des référents importants du personnage, il est évident que le scénariste pensera à les exploiter de façon homogène et continue. Dans *Ed Wood*, dont le personnage principal est un réalisateur travesti, plus de deux cents mentions touchant aux costumes du héros et à ceux des autres acteurs ont ainsi été répertoriées.

Exemple cinématographique : *Ed Wood*

Dans ce brillant scénario de Scott Alexander et Larry Karaszewski, le travestissement du héros est un pivot de l'histoire, et non un simple élément de sensationnel ; il est inhérent à la psychologie du personnage.

Dans une scène charnière, Ed entre complètement affolé dans la cabine d'essayage d'un plateau de tournage. Puis, nous le voyons « s'auto-soigner » ; de retour sur le plateau, il est calme et en pleine possession de ses moyens. Son « automédication » consiste à frotter un pull angora qu'il a trouvé dans la cabine d'essayage. Quand il retourne sur le plateau, il est habillé en femme et porte le pull angora : quand certaines personnes ont besoin de boire ou de fumer, Ed, lui, a besoin d'angora. C'est une séquence magnifique.

Valeur dramaturgique

Dans ce film, le choix des costumes extériorise les pulsions intimes du personnage et contribue à donner sa tonalité à l'histoire.

Autres films

- *Cabaret*
- *Hedwig and the Angry Inch*
- *Single White Female*

Ed Wood (1994)

Scénario : Scott Alexander et Larry Karaszewski. 1ʳᵉ version,
20 novembre 1992. D'après le livre de Rudolph Grey.

```
INT. CABINE D'ESSAYAGE - MÊME MOMENT

Ed surgi, hystérique, traumatisé.

                    ED
          Ils vont me rendre fou ! Ces Baptistes sont
          stupides, stupides, STUPIDES.

Ed jette un coup d'œil sur une penderie… et voit un PULL
ANGORA.

Ed reste interdit. Doucement, il l'enlève du cintre et s'en
frotte le visage. Sa respiration ralentit.

                    ED
          Mmm… J'ai besoin de me calmer…
          Respirer profondément…

                    (Il frotte l'angora.)

          Ohh, c'est si doux…

INT. PLATEAU DE TOURNAGE - MÊME MOMENT

La porte de la cabine d'essayage s'ouvre brusquement. Ed sort
lentement en se pavanant, avec le pull, un tailleur-pantalon et
des escarpins. Il est calme et détendu.
```

1.

2.

3.

Procédé technique 91 : costumes rémanents et sens évolutif

Pour bon nombre de scénaristes et de réalisateurs, il est difficile d'exprimer les pulsions d'un personnage ou l'évolution de son caractère sans faire appel aux dialogues. Le recours aux costumes comme jalon symbolique de ces changements peut se révéler un moyen très efficace.

Pour cela, il convient d'introduire les éléments de costume dès le début du film, puis de les réintroduire au cours de l'histoire en révisant le sens qui leur est attaché. Voici comment, dans *Out of Africa*, le scénariste Kurt Luedtke utilise une simple paire de gants pour exprimer l'évolution intérieure de Karen Blixen.

Exemple cinématographique : *Out of Africa*

Au début du film, le personnage de Karen Blixen est dépeint comme celui d'une femme qui a fait un mariage de convenance. Elle fait grand cas des bonnes manières et du style de vie de l'aristocratie – de la porcelaine de Chine jusqu'aux meubles –, et se bat pour tenir sa ferme africaine comme une demeure européenne. Quand elle prend à son service un jeune Africain, Juma, elle lui fait porter une paire de gants blancs pour imiter la livrée des serviteurs européens.

Enthousiasmée par le pays et influencée par Denys, son amant, Karen commence à changer. À la fin du film, elle retirera ses gants à Juma. En lui rendant sa liberté, elle se libère également.

Valeur dramaturgique

La première « scène de gants » intervenant dès le début du film, le spectateur peut s'y référer tout au long de l'histoire et mesurer ainsi l'évolution intérieure du personnage. À la fin du film, lorsque Karen retire ses gants à Juma, la signification est évidente.

Autres films

- *Thelma et Louise*
- *Single White Female*

Out of Africa (1985)

Scénario : Kurt Luedtke. Version d'août 1983.

INT. SALLE À MANGER (première apparition des gants)

Karen aide Juma à enfiler et boutonner ses gants. Il tient ses mains comme si elles étaient cassées.

Plus loin sur la même page.

INT. SALLE À MANGER - NUIT

Elle dîne seule, en lisant à la lueur d'une lampe à pétrole. Comme Juma nettoie la table, une assiette glisse de ses mains ; il regarde ses gants désespérément.

1.

UNE SUITE DE PLANS (autre apparition des gants)

AU DÎNER. Karen porte une robe, Denys est en burnous, Berkeley en pantalon court et Bror en veste de soirée, trop grande pour lui. La table est élégante, les plus beaux couverts ont été sortis ; Farrah et Juma font le service tandis qu'Esa s'ennuie à la porte. Denys et Juma plaisantent sur les gants de Juma. Karen regarde Denys, méditative.

2.

INT. SALLE À MANGER - NUIT (dernière apparition des gants)

La pièce est presque nue, comme lors de son arrivée. Le candélabre a disparu : des bouts de chandelle éclairent la table. Ils se sont habillés pour dîner ; elle porte une robe longue, mais n'a plus ni bijou, ni maquillage. Juma sert le café, il veut se retirer, mais :

KAREN
Juma ? Enlevez ces gants ridicules.

Un large sourire. Il les enlève, les laisse sur la table. Elle fume, regarde tout autour de la pièce.

KAREN
Nous aurions toujours dû faire comme ça.

3.

Procédé technique 92 : les coctumes comme éléments de différenciation des personnages

Nous avons déjà vu que des éléments du costume peuvent servir à prendre la mesure de l'évolution du personnage. Dans le film Bound, des frères Wachowski, les costumes interviennent pour différencier les deux héroïnes.

Exemple cinématographique : *Bound*

Dans ce thriller, les deux héroïnes vivent en marge de la société : Violet est une prostituée, et Corky une voleuse. Toutes deux portent aux oreilles les marques distinctives de leur profession : Violet a de longues boucles d'oreilles pour séduire, celles de Corky sont des épingles en argent qu'elle peut retirer facilement.

Valeur dramaturgique

Les éléments de costume peuvent être subtils ou manifestes, exprimer la ressemblance, la différence, l'ironie, le malaise, la misère ou encore la richesse.

Autres films

- *Single White Female* (différenciation et comparaison)
- *Thelma et Louise* (changement)
- *Harold et Maude* (comparaison - bureau du psychiatre)

Bound (1996)

Scénario : Larry et Andy Wachowski. Version du 28 septembre 1994.

Boucles d'oreilles de Violet : outils de séduction

```
INT. APPARTEMENT DE CEASAR

Violet fait entrer Corky dans un appartement richement meublé,
avec un goût très masculin ; beaucoup de cuir noir et gris.

                VIOLET
        J'étais en train de faire la vaisselle, et juste
        au moment où j'ai retiré le bouchon, ma boucle
        d'oreille est tombée dedans.

Corky la regarde sans comprendre.

                VIOLET
        C'était une de mes préférées. Voilà pourquoi ça
        m'a fait de la peine. Je sais que ça peut vous
        sembler ridicule.
```

Boucles d'oreilles de Corky : des épingles comme outils de travail

```
INT. BUREAU

La valise noire est posée sur le bureau, fermée à clef. Corky
va vers le bureau et s'agenouille.

                CORKY (voix off)
        Quand j'aurai réussi à l'ouvrir, j'aurai l'argent.
Elle choisit la bonne épingle accrochée au lobe de l'une de ses
oreilles, en retire un outil en argent.

Une seconde plus tard, le premier verrou s'ouvre.
```

Procédé technique 93 : codification du personnage par la couleur

Robert Altman a dit que son film *Three Women,* réalisé en 1977, traitait de « l'usurpation d'identité ». Chaque personnage féminin usurpe une identité quand il en a besoin. Et, comme à chaque personnage est attribuée une couleur, nous sommes en mesure de suivre leur travestissement : à Pinkie Rose est associé le rose, à Millie le jaune, et à Willie la couleur sable. Chaque femme prend l'identité de l'autre en s'appropriant sa couleur. Voici comment a été traité l'un de ces changements de personnalité.

Exemple cinématographique : *Three Women*

Dans le film, Pinkie Rose (Sissy Spacek) est habillée de rose pâle. Elle est comme un tissu vierge, à la recherche d'une identité acceptable. Elle se transforme après chaque événement tragique en prenant la couleur d'un autre personnage et son identité. Ses transformations se présentent et progressent comme les mouvements dans la musique.

1. Pinkie Rose arrive dans une station thermale déserte comme un personnage sans passé, habillée d'une robe rose de jeune fille. Elle y rencontre Millie (Shelley Duvall), qui devient son idole.

2. Pinkie prend la personnalité de Millie et s'identifie au « jaune » de Millie.

3. Une fois sortie du coma, Pinkie rejette Millie et revient au rose, mais cette fois à un rose soutenu. Ses vêtements qui au début ressemblaient à ceux d'une jeune fille ont maintenant une connotation plus sexuée.

4. Finalement, après un enchaînement de tragédies, Pinkie revient à ses premiers vêtements. Mais, cette fois, le rose est comme passé par le soleil et encore plus délavé. Pinkie et Millie sont entrées ensemble dans le monde achromatique de Willie. Toutes deux ont trouvé des personnages susceptibles de les guérir, comme Willie. Pinkie est devenue la petite-fille de Willie, et Millie sa fille. Nous restons pourtant sur l'impression que cette transformation finale n'est qu'une phase transitoire.

Valeur dramaturgique

La couleur est utilisée pour identifier le caractère premier de chaque personnage. Plus tard, elle extériorise l'usurpation de l'identité ainsi que leur degré de transformation.

Autres films

- *La Fièvre au corps* (le changement de couleur des vêtements de Kathleen Turner)
- *Reservoir Dogs* (l'attribution d'un nom de couleur aux personnages)

1.

2.

3.

4.

14ᵉ partie

LES EXTÉRIEURS

Procédé technique 94 : Extérieurs définissant le personnage

Les extérieurs peuvent se définir comme l'ensemble des plans réalisés à l'air libre – c'est-à-dire en décors naturels – ou simulant un effet de plein air.
Au cinéma, l'une des plus grandes difficultés est d'exprimer les pensées intimes d'un personnage, surtout si l'on refuse d'avoir recours à un narrateur ou à une voix off. Deux films ont pleinement exploité les possibilités dramaturgiques et narratives des extérieurs : *Hedwig and the Angry Inch* et *De beaux lendemains.*

Voici comment, dans *Hedwig and the Angry Inch,* les extérieurs réussissent à circonscrire et définir le héros.

Exemple cinématographique : *Hedwig and the Angry Inch*

Dans ce film, un jeune homme est en butte à sa sexualité conflictuelle. Son combat a comme toile de fond Berlin, une ville divisée en deux.

Valeur dramaturgique
L'image d'une ville divisée est une brillante métaphore de la division qu'Hedwig porte en lui.

Remarque sur le scénario
Dans l'extrait du scénario ci-contre figurent les paroles chantées par le héros au début du film. Les photogrammes tirés du film montrent le rôle métaphorique de la ville de Berlin.

Hedwig and the Angry Inch (2001)

Scénario : John Cameron Mitchell d'après sa pièce de théâtre.
Version révisée du 30 janvier 2000. Paroles et musique
des chansons : Stephen Trask. Séquences animées
et dessins : Emily Hubley.

*La chanson d'ouverture du film est interprétée par Hedwig,
le héros du film.*

```
Je suis le nouveau mur de Berlin
Essayez de me tirer des larmes

Je suis devant vous
À la frontière entre
L'Est et l'Ouest
Esclave et libre
Homme et femme
```

4.

1.

5.

2.

3.

Procédé technique 95 : Les extérieurs comme éléments d'unification

Les extérieurs offrent de vastes possibilités narratives. Ils peuvent intensifier un drame, suggérer des comparaisons ou des contrastes, permettre de définir un personnage ou encore – sans qu'un seul mot soit prononcé – nous faire découvrir des endroits où nous ne sommes jamais allés. Dans *De beaux lendemains,* un film émouvant d'Atom Egoyan, les extérieurs sont méticuleusement choisis pour donner de l'unité aux personnages.

Exemple cinématographique : *De beaux lendemains*

Ce film raconte l'histoire dramatique d'une petite ville canadienne pendant un hiver glacial. La tragédie frappe la ville de plein fouet lorsqu'un autocar scolaire tombe dans un lac, entraînant la mort de nombreux enfants. Mitch, un avocat de la ville, intervient bientôt pour pousser les parents à intenter un procès au fabricant de l'autocar.

Alors que Mitch a en charge la détresse des habitants, il se trouve confronté à son propre chagrin : sa fille adolescente meurt d'une overdose d'héroïne.

Comme Mitch, chaque personnage principal est identifié à un décor extérieur : une boîte fermée, rectangulaire, dont la forme ressemble à celle d'un cercueil. Cette évocation imagée de la mort revient tout au long du film, nous rappelant le drame qui est au cœur de l'intrigue : la mort des enfants que transportait l'autocar, de forme rectangulaire lui aussi.

Quand nous faisons la connaissance de Mitch, il gare sa voiture dans une station-service pour y faire laver sa voiture. Il est enfermé à la fois dans la station-service et dans sa voiture, deux formes rectangulaires. L'eau qui coule l'emprisonne dans son véhicule. Plus tard, nous comprendrons que cette séquence établit un parallèle avec celle des enfants prisonniers de l'autocar englouti par les eaux du lac.

Pendant qu'il est à l'intérieur de sa voiture, Mitch reçoit un coup de téléphone de Zoé, sa fille toxicomane. Nous raccordons alors au plan de Zoé qui se trouve dans une cabine téléphonique vitrée. Le téléphone rappelle le décor extérieur de Mitch et souligne ce qui les sépare. Alors que Mitch est profondément bouleversé, le cycle de lavage s'arrête ; l'eau ruisselle sur le pare-brise de sa voiture comme des larmes.

Valeur dramaturgique

En faisant de la forme rectangulaire et des décors extérieurs des symboles de la mort, Egoyan relie thématiquement les personnages. Bien que les circonstances n'établissent aucune relation entre les parents affligés et Mitch et sa fille, tous entretiennent une relation avec la mort.

Autres films

- *Thelma et Louise*
- *Blade Runner*
- *Blue Velvet*

De beaux lendemains (1997) - scène 2

Scénario : Atom Egoyan. Version finale révisée, 1997.

D'après le roman de Russell Banks.

INT/EXT. STATION DE LAVAGE - NUIT

Du paisible tableau d'une famille endormie, on passe à une
voiture qui entre dans une station de lavage. La scène est
filmée à travers le pare-brise, depuis le point de vue du
chauffeur.

La voiture entre dans le monde savonneux des roues feutrées qui
tournoient et de l'eau qui jaillit.

RACCORD AVEC :

INT. STATION DE LAVAGE - NUIT

À l'intérieur de la voiture, MITCHELL STEPHENS, la cinquantaine,
écoute une musique trépidante. Le bruit de la station de lavage
est couvert par la musique.

RACCORD AVEC :

EXT. CABINE TÉLÉPHONIQUE - NUIT

La cabine téléphonique est située dans un coin reculé d'une
grande ville. Une jeune femme, ZOÉ, entre dans la cabine et
prend le combiné.

RACCORD AVEC :

INT. STATION DE LAVAGE - NUIT

MITCHELL STEPHENS commence le lavage. Les balais automatiques
couvrent sa voiture d'eau et de mousse. Le téléphone portable
se met à sonner dans la voiture. MITCHELL décroche.

                    MITCHELL
          Oui ? Oui, je prends le coût en charge.

RACCORD AVEC :

INT. CABINE TÉLÉPHONIQUE - NUIT

ZOÉ est au téléphone. Une silhouette l'attend à l'extérieur de
la cabine.

1.

2.

3.

4.

Procédé technique 96 : extérieurs utilisés comme fil conducteur du film

Tous les procédés techniques concourent à faire un bon film. Rien ne doit être laissé de côté, et les extérieurs ne dérogent pas à la règle. Voici comment David Lynch, dans *Blue Velvet,* utilise les extérieurs pour asseoir l'idée générale de son film.

Exemple cinématographique : *Blue Velvet*

Le film s'ouvre sur l'image d'une banlieue américaine parfaite. Un propriétaire de pavillon lambda arrose sa pelouse ; un pompier passe sur son camion en souriant. Nous raccordons à un plan où de jeunes enfants traversent un passage protégé pour se rendre à l'école. Tout est normal en apparence.

Dès que nous avons intégré cette image lisse et idéale de la banlieue, le film la démolit. Nous revenons au plan du propriétaire, qui cette fois a un problème avec son tuyau d'arrosage. Soudain, il est piqué par un insecte qui provoque chez lui une sorte de crise cardiaque. Un moment plus tard, nous le retrouvons étendu mort sur la pelouse fraîchement arrosée, au moment où s'approche un bébé.

La caméra descend alors vers les brins d'herbe, jusqu'à la terre mouillée qu'ils recouvrent, et s'arrête finalement sur une masse d'insectes qui rampent et grouillent dans la pénombre. Une fois que nous sommes bien écœurés, nous revenons à la surface pour retrouver un cliché de la vie idyllique en banlieue pavillonnaire : un panneau d'affichage coloré avec une jolie mère de famille accueillant un voyageur. À côté de cette image souriante nous pouvons lire : « Bienvenue à Lumberton ».

Valeur dramaturgique

Le scénariste campe soigneusement la vie ordinaire d'une banlieue au moyen d'une série de clichés. Ces plans extérieurs vont devenir le point de référence du spectateur, qui va être en mesure de juger du décalage qui existe entre les apparences et la réalité. Toute beauté superficielle à son revers, comme la suite du film va nous en convaincre.

Remarque sur le scénario

L'extrait du scénario ci-contre fait référence aux derniers plans qui exposent la banlieue idyllique. Nous passons ensuite à sa face obscure.

Autre film

- *American Beauty* (la banlieue idéale)

Blue Velvet (1986) - scène 6

Scénario : David Lynch. Version définitive.

6. EXT. JARDIN DE BEAUMONT - JOUR

Nous quittons maintenant les roses DOUCEMENT, EN
PANORAMIQUE, pour descendre vers une pelouse luxuriante,
au-dessus de l'arroseur qui tourne, envoyant des gouttelettes
scintiller dans la lumière.

C'est au RALENTI et RAVISSANT.

FONDU ENCHAÎNÉ AVEC :

7. EXT. JARDIN DE BEAUMONT - JOUR

PLAN TRÈS RAPPROCHÉ SUR LES GOUTTELETTES. Les gouttelettes
prennent des formes abstraites en dansant dans la lumière.
PANORAMIQUE VERTICAL DESCENDANT sur l'herbe, puis qui se
déplace le long de la pelouse.

La MUSIQUE s'atténue quand nous ALLONS BRUSQUEMENT sous
l'herbe, comme si nous nous trouvions maintenant dans une
forêt obscure.

NOUS LA TRAVERSONS DOUCEMENT.

Les brins d'herbe ressemblent à de grands troncs.

Il fait de PLUS EN PLUS SOMBRE, et des BRUITS inquiétants
se font entendre au moment où nous découvrons des insectes
noirs qui grouillent et rampent dans l'obscurité.

FONDU SUR :

8. EXT. JARDIN DE BEAUMONT - JOUR

M. BEAUMONT est en train d'arroser les fleurs et
la pelouse avec un tuyau.

Il porte un pantalon kaki, des chaussures de toile,
une vieille chemise blanche, un chapeau de paille et
des lunettes noires.

PLAN RAPPROCHÉ - M. BEAUMONT

Il surveille son arrosage, puis lève les yeux.

Le ciel et les alentours se réfléchissent dans ses lunettes
noires. Il joue un petit peu avec son dentier en faisant
avancer son menton. Il est perdu dans ses pensées.

Il baisse les yeux vers la pelouse.

3.

2.

1.

4.

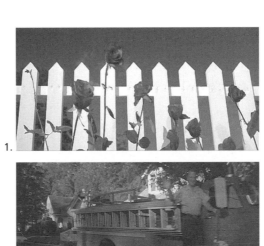

5.

7.

6.

8.

Procédé filmique 97 : extérieurs mouvants symbolisant le destin d'un personnage

Les *road movies* aiment à se servir de la diversité des paysages en mouvement pour exprimer les conflits et le caractère des personnages. Dans un très beau film en noir et blanc, *Dead Man,* Jim Jarmusch introduit le personnage et l'histoire au moyen d'une longue séquence par épisodes où la variété des extérieurs tient le premier rôle.

Exemple cinématographique : *Dead Man*

L'histoire, qui se passe au début du XIXᵉ siècle, est celle de la fin d'un jeune comptable qui part de Cleveland pour se rendre dans la ville frontalière de Machine. Jarmusch installe la tonalité sombre du film dès la séquence initiale, qui dure une dizaine de minutes. Cet assemblage de plans montre les divers paysages que traverse son héros lors du voyage en train qui l'emmène aux frontières de l'Ouest. Les plans présentent des paysages de plus en plus menaçants, allant de pair avec de nouveaux groupes de voyageurs qui, chaque fois, sont de plus en plus frustes. Dans le dernier plan, les trappeurs tuent pour le plaisir un buffle en tirant par la fenêtre du train. Un personnage instable, qui semble fou, avertit le héros, William Blake, qu'il n'y a pas de travail pour lui et que la ville de Machine est « le terminus ».

Tout en nous emmenant de la civilisation aux frontières anarchiques de l'Ouest, le « paysage mouvant » joue également comme signe prémonitoire de la mort du héros.

Autre film
• *Thelma et Louise*

Dead Man (1995)
Scénario : Jim Jarmusch. Version du 21 février 1994.

INT. TRAIN - JOUR

Des lumières mouvantes vacillent sur des paupières FERMÉES. Les yeux s'ouvrent progressivement, émergeant du sommeil. Ils clignent, à moitié endormis, puis bougent pour regarder par la fenêtre de gauche.

Sur la vitre sale du train, ternie, un graffiti illisible a été tracé dans la poussière. Des formes abstraites et floues dansent derrière.

Le point change, et les formes abstraites apparaissent comme autant de détails nets du paysage mouvant. Des champs où l'herbe a trop poussé envahissent une petite ferme de bois. La maison disparaît du regard et les champs deviennent des forêts. Les forêts sont remplacées par de nombreux champs, puis par des collines. Aux collines succèdent de vastes plaines. Plusieurs wagons cassés, abandonnés, apparaissent par la fenêtre du train, leur toile en lambeaux claquant dans le vent violent, des touffes de mauvaises herbes poussant à travers les rayons des roues. Puis apparaissent des bois, à leur tour remplacés par des plaines désertiques.

15e partie

LES PHÉNOMÈNES NATURELS

LES PHÉNOMÈNES NATURELS ET L'ACTION DRAMATIQUE

La nature et les phénomènes naturels offrent des possibilités narratives sans fin : que l'on pense à ce que le désert apporte à l'histoire de *Thelma et Louise*, la pluie à *Blade Runner*, ou le déferlement des vagues à *Tant qu'il y aura des hommes*. Tout film exploite le son et le mouvement, et les éléments naturels sont loin d'en être dénués.

Classement des éléments naturels

Suivant la façon dont on les considère et leur potentiel dramaturgique, ces éléments peuvent se classer selon leur mouvement, leur bruit, le danger qu'ils présentent et le sens métaphorique qu'ils peuvent prendre.

1. Le mouvement

La nature offre des éléments qui, lorsqu'ils sont en mouvement, proposent des images spectaculaires qui sont autant d'effets dramaturgiques. La neige, le vent et la lumière, par exemple, peuvent donner du sens à une séquence.

2. Le bruit

La plupart des éléments surviennent avec un bruit qui leur est associé. Une tempête de grêle, par exemple, peut attirer l'attention sur un indice important. Le bruit peut s'infiltrer doucement dans une séquence ou surgir de façon violente.

3. Le danger

La nature est une source inépuisable d'actions dramatiques : elle peut être perçue comme un sanctuaire ou comme une force de destruction ; elle donne la vie et la reprend avec la même facilité. Dans l'un des plus grands films de l'histoire du cinéma, *Les Rapaces,* entièrement tourné en décors naturels par Erich von Stroheim, la véritable nature de deux hommes se révèle au moment où ils se battent à mort pour une flaque d'eau au cœur du désert.

4. Le sens métaphorique

Tout élément peut prendre une valeur métaphorique, et la nature n'est pas en reste. Ainsi, dans *Fargo*, une aveuglante tempête de neige couvre de glace le pare-brise de Jerry Lundegard. Ce pare-brise plein de givre peut se voir comme une métaphore de la cécité intellectuelle et morale du personnage. Le bruit et la force de la tempête dramatisent les dernières séquences du film, de même que le sol enneigé et glacé nous rappelle la menace présente du décor.

Commentaire sur les métaphores

Le potentiel d'expression métaphorique réside dans le caractère imprévisible et la puissance de la nature. Le feu peut signifier dans un premier temps le foyer familial, et apporter la mort dans un second temps. De même, l'eau qui subvient aux besoins des hommes peut également les anéantir. Les métaphores qui prennent appui sur la nature expriment en quelque sorte un pouvoir infini.

Procédés techniques

Dans ce chapitre, nous nous attacherons à l'étude de trois phénomènes naturels. Tous différents, ils enrichissent une scène en suggérant divers degrés de lecture qui donnent de la profondeur à l'histoire.

98. Le climat   *Le Sixième Sens*
                                                 (le froid)

99. Les saisons et le temps qui passe   *Le Fabuleux Destin*
                                                 d'Amélie Poulain
                                                 (la séquence par épisodes)

100. Les phénomènes physiques   *Dolores Claiborne*
                                                 (l'éclipse)

Procédé technique 98 : le climat comme outil visuel

En apportant un effet physique visible, les phénomènes naturels donnent du poids à une séquence et à l'action d'un personnage. Dans la séquence où la voiture de Thelma et Louise tourne dans le désert, un grand nuage de sable s'abat brusquement sur la voiture et vient insister sur le moment crucial du film. Lorsque Harrison Ford, dans *Le Fugitif,* se débat à l'intérieur de canalisations remplies d'eau, chacun de ses pas provoque un énorme éclaboussement dont le son est répercuté.

On peut considérer le monde physique comme un moyen d'expression, et le climat comme l'une de ses modalités. En fonction du genre cinématographique choisi, le climat peut être utilisé de façon plus ou moins naturelle ou théâtrale. Le scénariste Night Shyamalan se sert du « climat » – et de façon plus spécifique de la température – pour identifier la présence de fantômes. Cela va permettre au spectateur d'avoir un repère visuel à partir duquel il pourra suivre la progression de l'intrigue du *Sixième Sens.*

Exemple cinématographique : *Le Sixième Sens*

Dès le début, Shyamalan introduit le fil directeur du film. La femme du héros descend à la cave pour aller chercher une bouteille de vin. Le spectateur ne prête pas attention aux « petits nuages de buée » que produit sa respiration, supposant qu'il fait froid dans le sous-sol d'une maison.

Mais, au fur et à mesure que le film avance, nous nous apercevons que le froid devient de plus en plus important, et que la température baisse dès qu'un fantôme apparaît. Nous nous souvenons alors des premières scènes, nous en redéfinissons le sens et en tirons les conclusions bien avant que le héros soit en mesure de le faire. En effet, ce n'est qu'à la fin du film que le héros comprend qu'il est lui-même la cause de la « buée » qui sort de la bouche de sa femme – tout simplement parce qu'il est mort.

Valeur dramaturgique
Quel que soit son style, un film doit éviter les scènes prévisibles ou convenues. *Le Sixième Sens* parvient à innover dans le genre du film fantastique, et permet au spectateur de suivre la progression de l'intrigue au moyen d'un « outil » visuel efficace.

Le Sixième Sens (1999)

Scénari : M. Night Shyamalan. Version du 1er mai 1998.

<u>Page 1</u>

INT. CAVE - SOIR

Anna s'apprête à sortir. Elle s'arrête. Elle regarde fixement la cave sombre. C'est un endroit inquiétant. Elle se tient immobile et regarde sa respiration former un PETIT NUAGE DANS L'AIR FRAIS. Visiblement, elle n'est pas à son aise.

<u>Page 58</u>

INT. MAISON DE COLE - NUIT

Un silence anormal règne dans toutes les pièces de la maison.

Le thermomètre sur le mur indique qu'il fait maintenant − 6 °C.

<u>Page 85</u>

INT. COULOIR - NUIT

Cole ferme la porte de la chambre de sa mère. Il se tient

immobile dans le couloir. Laisse échapper un puissant

soupir…

SA RESPIRATION S'ÉLÈVE DEVANT LUI SOUS LA FORME D'UN PETIT NUAGE.

Cole fronce les sourcils. Il respire de nouveau. Mais cette

fois, de façon intentionnelle. Il regarde la façon dont son

haleine devient subitement visible dans l'air glacé.

<u>Page 104</u>

GROS PLAN D'ANNA… JUSQU'À CE QUE SON VISAGE EMPLISSE TOUT L'ÉCRAN… C'EST ALORS QUE, POUR LA PREMIÈRE FOIS, NOUS REMARQUONS QUE SA RESPIRATION FORME DE PETITS NUAGES DANS L'AIR FROID.

MALCOM

(comme s'il tombait dans un trou profond)

Non…

1.

3.

2.

4.

Procédé technique 99 : les saisons et le temps qui passe

Dans *Le Fabuleux Destin d'Amélie Poulain,* le cycle des saisons permet d'illustrer le temps qui passe.

Exemple cinématographique : *Le Fabuleux Destin d'Amélie Poulain*

Amélie est une enfant fantasque de cinq ans qui attend que vienne le moment de quitter le foyer familial. Pour illustrer cette « période d'attente », une courte séquence par épisodes qui se passe sous la fenêtre de son appartement embrasse dix-sept années de sa vie.

Dans le scénario, le passage du temps se traduit par les dommages que les années occasionnent au petit ours en peluche d'Amélie. Cependant, la désagrégation de l'ours n'étant peut-être pas suffisamment lisible, à elle seule, pour manifester la durée, le montage définitif du film présente l'assemblage successif de quatre plans, symbolisant le passage des saisons.

Valeur dramaturgique
Le rythme des saisons étant une donnée universelle, le spectateur l'interprète comme une image du temps qui passe.

Le Fabuleux Destin d'Amélie Poulain (2001)

Scénario : Guillaume Laurant et Jean-Pierre Jeunet, 2001.

```
                  VOIX OFF
     Les jours, les mois, puis les années passent.
     Le monde extérieur paraît si mort qu'Amélie
     préfère rêver sa vie en attendant d'avoir l'âge de
     partir.
```

Sous la fenêtre, l'ours en peluche de la petite Amélie gît sur la pelouse, oublié.

Les années passent. L'ours en peluche se désagrège, morceau par morceau. Quant il ne reste plus qu'un petit peu de bourre, un oiseau se pose à côté de l'ours, prend le morceau de bourre dans son bec et s'envole.

1.

2.

3.

4.

Procédé technique 100 : les phénomènes physiques comme éléments de mise en scène

Quand le tonnerre éclate au début d'une scène où le personnage part en voyage, la nature semble lui signaler qu'il va au-devant d'un danger : elle commente l'histoire qui est train de se dérouler. C'est ainsi que la nature est mise en scène dans *Dolores Claiborne*, où elle « justifie » le meurtre que l'héroïne vient de commettre.

Exemple cinématographique : *Dolores Claiborne*

Dolores Claiborne raconte l'histoire d'une femme qui assassine son mari. Pour des raisons pratiques, elle attend une éclipse annoncée pour commettre le meurtre : l'éclipse videra l'île où elle réside de ses habitants, qui iront fêter le phénomène sur le continent. Les feux d'artifice et les festivités prévues sur l'eau permettront également d'étouffer tout bruit.

Dès le début du film, l'éclipse s'intègre naturellement dans l'histoire générale. Une fois introduite, elle va pouvoir être pleinement exploitée d'un point de vue artistique.

La scène du meurtre se passe au moment où Dolores pousse son mari à la poursuivre. Cette poursuite est organisée de telle façon qu'il doit tomber dans un trou et se tuer. À chaque étape de la poursuite correspond un moment de l'éclipse. Au moment où son mari tombe et meurt, l'éclipse, qui apparaît comme un signe de la nature, vient visuellement justifier le meurtre que Dolores vient de commettre. La lune passe devant le soleil, qui réapparaît ensuite lentement, répandant sur toute la scène une lumière dorée, parfaite métaphore de l'espoir revenant dans la vie de l'héroïne.

Valeur dramaturgique
Dans cet exemple, la nature permet une double expression dramaturgique. L'éclipse et l'obscurité qui la suit facilitent l'assassinat. Le fait que l'héroïne, ensuite, se trouve inondée de lumière, donne à l'éclipse la valeur d'un guide spirituel qui comprend ce qui vient de se passer et accorde son pardon.

Remarque sur le scénario
Le scénario fait de nombreuses allusions à l'arrivée de l'éclipse. Les cinq courts extraits de la page ci-contre font référence à la séquence du meurtre. Les photogrammes de la séquence in extenso qui y sont adjoints illustrent l'habileté avec laquelle le film intègre ce phénomène physique à la narration.

Dolores Claiborne (1995)

Scénario : Tony Gilroy. 3ᵉ version, 11 mars 1994.

D'après un roman de Stephen King.

Dolores se prépare à commettre le meurtre.

LA CUISINE. Dolores est debout, regardant l'eau qui coule. En plein dilemme. Elle est pétrifiée.

À l'EXTÉRIEUR, PAR LA FENETRE

LE CIEL. Comme un décor bizarre. Les nuages se sont consumés. Une étrange bande rose commence à se développer. Les SIRÈNES des bateaux résonnent souvent dans le vent.

                    JOE (en off)
          Bien, nous y sommes.

Joe fait tomber Dolores sur le sol.

                    DOLORES (les yeux levés)
          … Mon Dieu, regarde… Les étoiles.

LE CIEL. Elle a raison. Les étoiles scintillent dans le fond pourpre du ciel. Un crépuscule étrange, accéléré. Le soleil est avalé par une énorme lune noire et pleine.

Joe poursuit Dolores.

Soudain, la poursuite commence. Dolores à l'extérieur… Dix mètres devant… Courant à toutes jambes hors de la route pour aller dans les champs… Joe gagnant du terrain… trébuchant dans l'obscurité… mais, même saoul, il est plus rapide qu'elle…

Joe tombe de la façon que Dolores espérait.

LE CIEL. Éclipse totale. Une lumière brillante, fine comme du papier à cigarettes, explose derrière la silhouette de la lune. Spectaculaire et claire. Un moment parfait. Indescriptible.

Joe meurt.

DOLORES est debout maintenant. Elle regarde derrière elle, dans les champs. La lumière commence à revenir. On entend le bruit des bateaux en fête, et le chant des oiseaux commence à revenir à la vie. Elle regarde au fond du puits…
LE CORPS DE JOE en bas. Tordu et cassé. Il est mort.

1.

2.

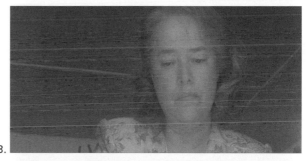

3.

4.

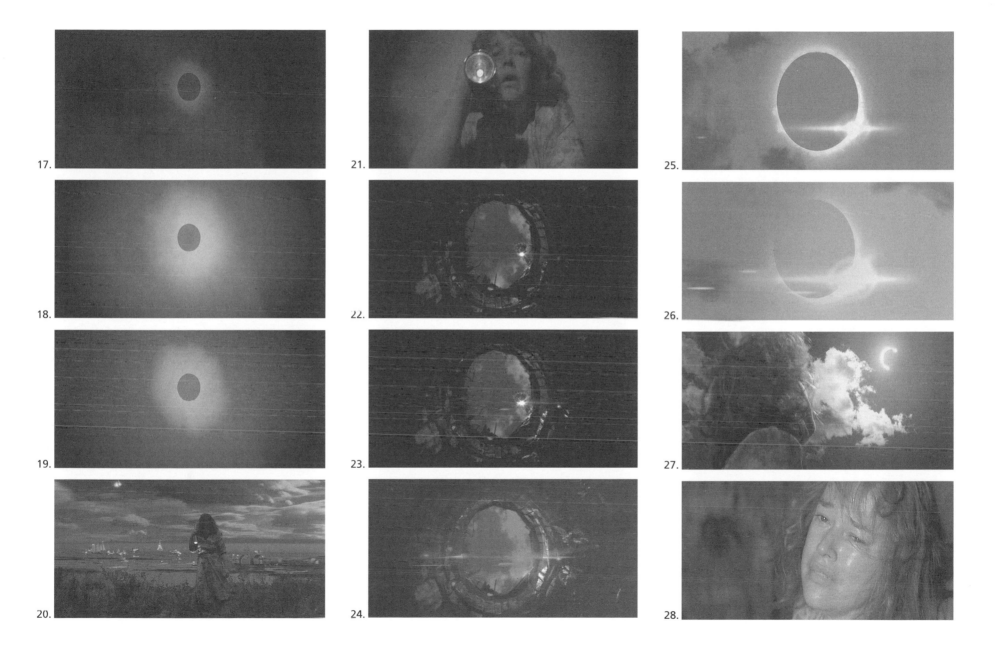

Index des films dont les scénarii sont cités dans l'ouvrage – Informations techniques et sources des scénarii

Note sur les informations techniques
Par souci d'uniformité, les informations techniques viennent du site www.IMDdbPro.com. Malgré tout le soin apporté à la restitution de ces données, n'hésitez pas à nous signaler tout oubli ou erreur.

Note sur les sources des scénarii
Comme les scénarii sont rarement édités, nous les avons collectés sous diverses formes et dans divers centres de ressources :
1. les publications existantes
2. la bibliothèque J. Paul Leonard, université d'État de San Fransisco, salle des Réserves
3. Screenstyle ; voir moviescriptoncd.com
4. Script City, Los Angeles
5. Hollywood Book & Poster, Los Angeles
6. Limelight Books, San Francisco
7. les sites internet

Adaptation - 2002
Scénario : Charlie Kaufman et Donald Kaufman
D'après le livre de Susan Orlean
The Orchid Thief
Réalisateur : Spike Jonz
Production : Beverly Detroit, Clinica Estetico Ttd., Good Machine, Magnet Productions,

Propaganda Films
Distribution : Colombia Pictures USA (pour le cinéma), Columbia/TriStar Home video 2003 (DVD)

Version du 21 novembre 2000
Screenstyle, voir : moviescriptoncd.com
SPD : Newmarket Press 2003

Affranchis (Les) - 1990
Scénario : Nicholas Pileggi et Martin Scorsese
D'après le roman de Nicholas Pileggi
Wiseguy
Réalisateur : Martin Scorsese
Production : Warner Brothers
Distribution : Warner Brothers Home Video

Version du 12 janvier 1989
www.dailyscript.com
SPD : Faber & Faber 1990

American Beauty - 1999
Scénario : Alan Ball
Réalisateur : Sam Mendes
Production : Dreamworks SKG, Jinks/Cohen Company
Distribution : Dreamworks

Script City
SPD : Newmarket Press 2000

Apocalypse Now - 1979
Scénario : John Milius et Francis Ford Coppola
D'après le roman de Joseph Conrad (non crédité au générique)

Réalisateur : Francis Ford Coppola
Production : Zoetrope
Distribution : United Artists

L'extrait a été retranscrit d'après le film, les paroles de la chanson n'apparaissant pas dans le scénario original.
Screenstyle, voir : moviescriptoncd.com
SPD : Miramax 2001

Barton Fink - 1991
Scénario : Joel et Ethan Coen
Réalisateurs : Joel et Ethan Coen
Production : Circle Films Inc. Working Title Films
Distribution : 20th Century Fox Film Corporation

Version du 19 février 1990
Script City
SPD : Faber & Faber 1991

Blue Velvet - 1986
Scénario : David Lynch
Réalisateur : David Lynch
Production : De Laurentiis
Distribution : De Laurentiis

Version finale, 1986
Screenstyle, voir : moviescriptoncd.com

Boulevard du crépuscule - 1950
Scénario : Charles Brackett, Billy Wilder, D.M. Marshman, Jr.
Réalisateur : Billy Wilder
Production : Paramount Pictures
Distribution : Paramount Pictures

Version du 21 mars 1949
Script City

Bound - 1996
Scénario : les frères Wachowski
Réalisateurs : les frères Wachowski
Production : Dino de Laurentiis Productions, Spelling Films
Distribution : Gramercy Pictures

1ʳᵉ version, 28 septembre 1994
Script City

Butch Cassidy et le Kid - 1969
Scénario : William Goldman
Réalisateur : George Roy Hill
Production : 20th Century Fox, Campanile
Distribution : CBS/Fox, 20th Century Fox Home Entertainment

Éditions Sam Thomas. Best American Screenplays 1, Complete Screenplays, Crown Publishers, Inc., New York, 1986, pages 337-391.

Cabaret - 1972
Scénario : Jay Presson Allen
Auteur du livre : Christopher Isherwood (*Berlin Short Stories*)
Auteur de la pièce de théâtre : John van Druten (*I am a Camera*)
Auteur de la comédie musicale : Joe Masteroff (*Cabaret*)
Réalisateur : Bob Fosse
Production : ABC Circle Films, American Broadcasting Company (ABC),

Distribution : Allied Artists Pictures Corporation, Warner Home Video (USA) (DVD)

1re version, 7 juin 1970
Script City

Chinatown - 1974
Scénario : Robert Towne et Roman Polanski (non crédité au générique)
Réalisateur : Roman Polanski
Production : Paramount Pictures, Long Road, Penhouse
Distribution : Paramount Home Video (USA) (DVD)

Citizen Kane - 1941
Scénario : Herman J. Mankiewicz, Orson Welles et John Houseman (non crédité)
Réalisateur : Orson Welles
Production : Mercury Production et RKO Pictures
Distribution : RKO Pictures Inc. (1941) USA Theatrical et Warner Home Video (DVD)

Éditions Sam Thomas. Best American Screenplays 2, Complete Screenplays, Crown Publishers, Inc., New York, 1990, pages 7-81.

Conversation secrète (La) - 1974
Scénario : Francis Ford Coppola
Réalisateur : Francis Ford Coppola
Production : American Zoetrope, Paramount Picture, The Coppola Company, The Directors Company

Distribution : Paramout Pictures

Version du 11 novembre 1972
Script City

Danse avec les loups - 1990
Scénario : Michel Blake d'après son roman
Réalisateur : Kevin Kostner
Production : Tig Productions, Majestic Films International ns
Distribution : Image Entertainment

Dead Man - 1995
Scénario : Jim Jarmusch
Réalisateur : De Laurentis
Production : 12 Gauge Productions, JVC Entertainment, Pandora Film Produktion GmbH, Miramax
Distribution : Miramax

Version du 21 février 1994
Hollywood Book & Poster Co
SPD : Newmarket Press 1997

De beaux lendemains - 1997
Scénario : Atom Egoyan
D'après le roman de Russel Banks
Réalisateur : Atom Egoyan
Production : Alliance Communications Corporation, Canadian Film –Video Tax Credits, Ego Film Arts, Gort of Canada, The Harold Greenberg Fund, The Movie Network, Teleflim Canada
Distribution : Alliance Communication Corporation, New line Home Video (USA) (DVD)

Version finale révisée, 1997
www.dailyscript.com

Dents de la mer (Les) - 1975
Scénario : Peter Benchley d'après son roman, et Carl Gottlieb
Réalisateur : Steven Spielberg
Production : Universal Pictures, Zanuck/Brown Productions
Distribution : Universal Studios Home Video (USA) (DVD)

Version finale non datée.
Screenstyle, voir : moviescriptoncd.com

2001, l'odyssée de l'espace - 1968
Scénario : Stanley Kubrick et Arthur C. Clarke
D'après le roman d'Arthur C. Clarke *The Sentinel*
Réalisateur : Stanley Kubrick
Production : MGM, Polaris
Distribution : Criterion Collection/MGM

Disco Pigs - 2001
Scénario : Enda Walsh d'après sa pièce de théâtre
Réalisateur : Kirsten Sheridan
Production : Temple Film et TV Productions Ltd
Distribution : Renaissance Films

Scénario fourni par Kirsten Sheridan (réalisatrice)

Dolores Claiborne - 1995
Scénario : Tony Gilroy
D'après un roman de Stephen King
Réalisateur : Taylor Hackford
Production : Castel Rock Entertainment et Columbia Pictures Corporation
Distribution : Columbia Pictures

3e version, 11 mars 1994
Script City

Ed Wood - 1994
Scénario : Scott Alexander et Larry Karaszewski
D'après le livre de Rudolph Grey *Nightmare of Ecstasy*
Réalisateur : Tim Burton
Production : Touchstone Pictures
Distribution : Buena Vista

1re version, 20 novembre 1992
SPD : Faber & Faber 1995

ET - 1982
Scénario : Melissa Mathison
Réalisateur : Steven Spielberg
Production : Amblin Entertainment, Universal Pictures
Distribution : Columbia TriStar Home Video (États-Unis) (DVD)

Version du 8 septembre 1991, scénario de tournage
Script City

Évadés (Les) - 1994
Scénario : Frank Debont

D'après la nouvelle *Rita Hayworth et la Rédemption de Shawshank* de Stephen King
Réalisateur : Frank Debont
Production : Castle Rock Entertainment, Columbia Pictures Corporation
Distribution : Columbia Pictures, Columbia TriStar (États-Unis)

Version de 1994
Screenstyle, voir : moviescriptoncd.com
SPD : New Market Press 2004

Fabuleux Destin d'Amélie Poulain (Le) - 2001
Scénario : Guillaume Laurant et Jean-Pierre Jeunet
Réalisateur : Jean-Pierre Jeunet
Production : Filmsiftung Nordhein-Westfalen, France 3 Cinéma, La Sofica Sofinergie 5, Le Studio Canal +, MMC Independent GmblH, Tapioca Films, UGC Images, Victories Productions
Distribution : Miramax

Version non datée
Limelight San Francisco

Fargo - 1996
Scénario : Joel et Ethan Coen
Réalisateurs : Joel et Ethan Coen
Production : Gramercy Pictures, Polygram Film Entertainment, Working Title Films
Distribution : Concorde Home Entertainment (1998) (DVD), Gramercy (USA) Theatrical

Version du 2 novembre 1994
Script City
SPD : Faber & Faber 1996

Halloween - 1978
Scénario : John Carpenter et Debra Hill
Réalisateur : John Carpenter
Production : Compass International, Falcon Films
Distribution : Anchor Bay Entertainment

Harold et Maude - 1971
Scénario : Colin Higgins
Réalisateur : Hal Ashby
Production : Paramount Pictures
Distribution : Paramount Pictures

Version de 1971
Hollywood Book & Poster Co

Hedwig and the Angry Inch - 2001
Scénario : John Cameron Mitchell d'après sa pièce de théâtre
Paroles et musique des chansons : Stephen Trask
Réalisateur : John Cameron Mitchell
Production : Killer Films, New Line Cinema
Distribution : Fine Line Features (USA), New Line Cinema

Version révisée du 3 janvier 2000
Hollywood Book & Poster Co

Inconnu du Nord Express (L') - 1951
Scénario : Czenzi Ormonde, Raymond Chandler, adapté par Whitfield Cook

d'après un roman de Patricia Highsmith
Réalisateur : Alfred Hitchcock
Production : Warner Brothers
Distribution : Warner Brothers

Version finale, 18 octobre 1950
www.screentalk.org

Kill Bill vol. I - 2003
Scénario : Quentin Tarantino
Auteurs : Q1 et U1 (personnage de la Fiancée)
Réalisateur : Quentin Tarantino
Production : Miramax Films, A Band Apart, Super Cool ManChu
Distribution : Miramax Films

Klute - 1971
Scénario : Andy et David Lewis
Réalisateur : Alan J. Pekula
Production : Gus Company, Warner Bros
Distribution : Warner Bros
Version de 1971
Script City

Larry Flint - 1996
Scénario : Scott Alexander et Larry Karaszewski
Réalisateur : Milos Forman
Production : Columbia Pictures, Filmhaus, Illusion Entertainment, Ixtlan Corporation, Phoenix Pictures
Distribution : Columbia TriStar

1re version révisée, 1994
SPD : Newmarket Press 1996

Lauréat (Le) - 1967
Scénario : Cadler Willingham et Buck Henry
D'après un roman de Charles Webb
Réalisateur : Mike Nichols
Production : Embassy Pictures et Lawrence Turman Inc.
Distribution : MGM Home Entertainment (DVD)

Éditions Sam Thomas. Best American Screenplays 1, Complete Screenplays, Crown Publishers, Inc, New York, 1986, pages 296-336.

Leçon de piano (La) - 1993
Scénario : Jane Campion
Réalisatrice : Jane Campion
Production : Australian Film Commission, CiBy, New South, Wales Film et Television Office
Distribution : Miramax Film

4e version, 1991
Screenstyle, voir : moviescriptoncd.com
SPD : Miramax 1993

Léon - 1994
Scénario : Luc Besson
Réalisateur : Luc Besson
Production : Gaumont International, Les Films du Dauphin
Distribution : Columbia TriStar Home Video (USA) (DVD)

Version 1993
Script City

Liaison fatale - 1987
Scénario : James Dearden
D'après le roman de Nicholas Meyer
Réalisateur : Adrian Lyne
Production : Paramount Pictures
Distribution : Paramount Home Video
(USA) (DVD)

Metropolis
Scénario : Thea von Habou d'après son
roman
Réalisateur : Fritz Lang
Production : Universum Film AG (UFA)
Distribution : Kino International

Out of Africa - 1985
Scénario : Kurt Luedtke
D'après les mémoires d'Isak Dinesen
D'après le poème de A. E. Housman « To
an Athlete, Dying Young »
D'après le roman d'Errol Trzebinski
Silence will Speak
Réalisateur : Sydney Pollack
Production : Mirage Entertainment
Distribution : MCA/Universal Pictures

Version d'août 1983
Script City

Prisonnière du désert (La) - 1956
Scénario : Frank S. Nugent
D'après le roman d'Alan le May
Réalisateur : John Ford
Production : C.V. Witney Pictures, Warner
Bros
Distribution : Warner Bros

Version finale révisée
Script City

Psychose - 1960
Scénario : Joseph Stephano
Auteur du roman : Robert Bloch
Réalisateur : Alfred Hitchcock
Production : Shamley Productions
Distribution : Paramount Pictures, Universal
Home Entertainment (USA) (DVD)
Version révisée, 1er décembre 1959
Screenstyle, voir : moviescriptoncd.com

Pulp Fiction - 1994
Scénario : Quentin Tarantino
Auteurs de l'histoire : Quentin Tarantino et
Robert Avary
Réalisateur : Quentin Tarantino
Production : A Band Apart, Jersey Films,
Miramax Films
Distribution : Miramax Home
Entertainment (États-Unis) (DVD)

Version de mai 1993
Script City
SPD : Hyperion 1994

Raging Bull - 1980
Scénario : Paul Shrader et Mardik Martin
Auteurs du livre : Jake La Motta, Joseph
Carter, Peter Savage
Réalisateur : Martin Scorsese
Production : Chartoff-Winkler Productions
Distribution : United Artists, MGM Home
Entertainment (États-Unis) (DVD)

Version non datée.
Screenstyle, voir : moviescriptoncd.com

Requiem for a Dream - 2000
Scénario : Hubert Selby Jr. et Darren
Aronofsky
D'après le roman d'Hubert Selby Jr.
Requiem for a Dream
Réalisateur : Darren Aronofsky
Production : Artisan Entertainment,
Bandeira Entertainment, Industry
Entertainment, Protozoa Pictures, Requiem
for a Dream, Sibling Productions, Thousand
words, Truth and Soul
Distribution : Artisan Entertainment

Reservoir Dogs - 1992
Scénario : Quentin Tarantino et Roger
Avery (auteur des dialogues
radiophoniques)
Réalisateur : Quentin Tarantino
Production : Live Entertainment, Dog Eat
Dog Productions
Distribution : Artisan Entertainment 2002
(USA) (DVD), Miramax Films

Single White Female - 1992
Scénario : Don Roos
D'après le roman de John Lutz SWF seeks
same
Réalisateur : Barbet Shroeder
Production : Columbia Pictures
Distribution : Columbia Pictures

Sixième Sens (Le) - 1999
Scénario : M. Night Shyamalan
Réalisateur : M. Night Shyamalan
Production : Hollywood Pictures, Spyglass
Entertainment, The Kennedy/Marshall
Company
Distribution : Buena Vista

Version du 1er mai 1998
Script City

Soif du mal (La) - 1958
Scénario : Orson Welles et Paul Monash
(non crédité au générique)
D'après le roman de Whit Materson *Badge
of Evil*
Réalisateur : Orson Welles
Production : Universal International
Pictures, Universal Pictures
Distribution : MCA/Universal Pictures

Version finale révisée, 5 février 1957
Script City

Sorry, wrong Number - 1948
Scénario : Lucille Fletcher d'après sa pièce
de théâtre
Réalisateur : Anatole Litvak
Production : Hal Wallis Productions,
Paramount Pictures
Distribution : Paramount Pictures

L'extrait est tiré de la pièce de théâtre de
Lucille Fletcher *Sorry, wrong Number* et *The
Hitchhiker*, Dramatists Play Service, Inc.,
New York, 1952, copyright renouvelé en 1980

Three Women - 1977
Scénario : Robert Altman et Patricia Resnick
(non créditée au générique)
Réalisateur : Robert Altman
Production : Lions Gate Films
Distribution : 20th Century Fox Film
Corporation, Criterion Collection (2004)
USA (DVD)

Titanic - 1997
Scénario : James Cameron
Réalisateur : James Cameron
Production : 20th Century Fox, Lightstorm
Entertainment, Paramount Pictures
Distribution : 20th Century Fox

Version révisée, 7 mai 1996
Script City
SPD : Harper Ent. 1998

Tueurs nés
Scénario : David Veloz, Richard Rutowski et
Oliver Stone
D'après une histoire de Quentin Tarantino
Réalisateur : Oliver Stone
Production : Alcor Films, Ixtlan Productions,
JD Productions, New Regency Pictures,
Regency Enterprises, Warner Brothers
Distribution : Warner Home Video (USA)
(DVD)

5e version, 11 mai 1993
Quentin Tarantino était crédité comme co-
auteur du scénario, au même titre que
David Veloz, Richard Rutowski et Oliver
Stone, dans la 5e version du scénario en

date du 11 mai 1993. Il n'apparaît plus
que comme auteur de l'histoire au
générique du film.
Screenstyle, voir : moviescriptoncd.com
SPD : Grove Press 2000

Witness - 1985
Scénario : William Kelley et Earl Wallace
(histoire et scénario), Pam Wallace (histoire)
Réalisateur : Peter Weir
Production : Paramout Pictures
Distribution : Paramout Pictures

Version révisée, 1984
Screenstyle, voir : moviescriptoncd.com

Suggestions de lecture

BAZIN André, *Qu'est-ce que le cinéma*, Les Éditions du Cerf, 2000, 12ᵉ éd.

EISENSTEIN Sergei, *Le film, sa forme, son sens*, trad. du russe, Paris, C. Bourgeois, 1976

KOULECHOV Lev, *Écrits 1917-1934, L'Art du cinéma et autres écrits*, trad. du russe, Lausanne, *L'Âge d'homme*, 1994

PINEL Vincent, *Techniques du cinéma*, Paris, PUF, 1981

PINEL Vincent, *Vocabulaire technique du cinéma*, Paris, Nathan, 1996

POUDOVKINE Vsevolod, *Film Technique and Film Acting*, New York, Grove Press, 1970

Aux Éditions Eyrolles

D. KATZ Steven, *Mettre en scène pour le cinéma, Mouvements d'acteurs et de caméra*, 2006

D. KATZ Steven, *Réaliser ses films plan par plan, Concevoir et réaliser sa mise en images*, 2005

PATMORE Chris, *Réaliser son premier court-métrage, Technique et montage*, 2006

VINEYARD Jeremy, CRUZ Jose, *Les plans au cinéma, Les grands effets de cinéma que tout réalisateur doit connaître*, 2004

Neuvième tirage 2020

Dépôt légal : février 2020
Imprimé en France
Achevé d'imprimer en février 2020 par l'Imprimerie Floch à Mayenne
N° d'imprimeur : 95899

Dans le cadre de sa politique de développement durable,
L'Imprimerie Floch a été référencée IMPRIM'VERT par son organisme consulaire de tutelle.
Cet ouvrage est imprimé – pour l'intérieur – sur papier offset 110 g.